アートとフェミニズムは誰のもの?

村上由鶴

光文社新書

はじめに

アートとフェミニズムはよく見えない

アートとフェミニズム。どちらか一方には興味があり、よく知っている、という人もいるでしょうし、この2つの単語を見ただけでどんな本なのかピンと来る人もいるでしょう。でも、おそらく世の中でいちばん多いのは「どっちもよくわからない」人ではないかと思います。

とはいえ、アートもフェミニズムも完全に未知の存在というわけでもないはずです。「なんとなくこういうものだろう」という直感や、個人的な経験から、なんらかの印象がぼんやり立ち上がってくるのではないでしょうか。

アートとは美しいものだ。フェミニズムとは女性に優しくすることだ。アーティストはたいてい変人だ。フェミニストはいつも怒ってばかりいる女たちだ。とにかくどちらも難しそう。感情的で怖い。奥が深そうだけど、同時に窮屈そうで、「界隈」の「お仲間」だけが熱を上げているように見える……。これらは、アートやフェミニズムに関する「印象」であり、よくある間違いが含まれていて、真実ではありません。

と同時に、必ずしも、すべて間違っているとも言い切れません。

例えば、「現代アート」という言葉は意味不明なものの代名詞となっていますし、フェミニズムは、良くも悪くも「一人一派」と言われるほどに多様化し、フェミニストを自称する人の間でも常に論争が絶えません。

それどころか、いま、フェミニズムに対してはバックラッシュと呼ばれる強い反発が盛り上がってきています。アートも、広く社会に受け入れられているように見えますが、表現に対する規制や公金を使うことへのバッシングなども、特に２０１９年のあいちトリエンナーレ以降に目立つようになりました。これらは、まさにアートとフェミニズムの理解をめぐる断絶を示しています。

つまりアートとフェミニズムは少なくない人びとから、よく見えていないのです。「よく見えていない」とは、見ていて良い気がしない、というのもありますが、どちらかと言うと、そこにあることはわかっているのだけど、見通しが悪くてその実態がよく見えないというこ

とです。

いわば、アートとフェミニズムは、その様態がつかみにくく（それによってときどき嫌われている）入門したくてもしにくい「みんなのものではないもの」なのです。

自分や仲間たちだけの世界に閉じこもり、仲間ではない人やほかのトピックに目を向けない状態になってしまうことを「たこつぼ化」と言いますが、アートもフェミニズムも、まさに「奥が深くて窮屈そう」な、たこつぼ的なものと見られています。バッシングやバックラッシュ、そして内部でのハラスメントも、つぼの中と外の世界との関係が上手に構築できていない状況をあらわしていると考えることができます。

アートとフェミニズムが共有しているもの

さて、そうすると現状、本書のタイトルである「アートとフェミニズムは誰のもの？」という問いへの答えは、アートもフェミニズムも、「界隈の人たちだけのもの」ということになってしまいます。

でも、実は、アートとフェミニズムは、どちらも本当は「みんなのもの」になろうとするエネルギーを持っています。「みんなのものになろうとするエネルギー」とは、既存の権威を疑ったり解体したり、垣根を取り払ったりする方向に進んだり広がったりするパワーです。界隈の人たちだけのものにとどまらない、はみ出しの力とも言えます。アートとフェミニズムは、もちろん別々のものですが、ここには共有しているヴィジョンがあります。

人類最古の絵画とされる洞窟絵画を含めれば４万年以上の歴史があるアートは、はじめはおそらく「お絵かき」や「ものづくり」といったヒトの素朴な欲求や必要からスタートしたと考えられています。が、その後、職業として確立してからは教会や貴族など、時の権力者のためのものとされた時代が長く続き、その後、権力から離れるようにして民衆へと広がっていきました（ですから「宮廷画家」という称号は、現代のアートの世界では蔑称として使われます）。

アーティストたちは、前の時代に讃《たた》えられ権威化した手法やアイデアを刷新する表現を発明し、またその表現を古く見せるような別の新たな表現を発明することで美術史を積み重ねてきました。作品を作るアーティストとして歴史に残っているのは白人男性がほとんどですが、徐々に、有色人種や女性、障害のある人がアーティストになること、そして成功することの障壁も取り除かれようとしています。主義・主張や流派などの対立があっても、「なるべく多くの人が参加できたほうがいいよね」「なるべくいろいろな人が参加できたほうがいいよね」、つまり「アートはみんなのものであったほうがいいよね」という考え方が、「前提」かつ「目標」として広く共有されてきたのです。このような変化の原動力こそが、アートが持っている「みんなのもの」になろうとするエネルギーです。

運動としてのフェミニズムの歴史は、だいたい十八世紀の後半、女性の政治参加を求めて始まりました。アートの歴史に比べれば最近です。はじめの頃には、欧米の高学歴の白人女性だけの出世や社会的地位の向上を目指していたものだった時期がありましたが、いまでは有色人種の女性にも、障害のある人にも、子どもにも、そして男性にも開かれています。学問として成立してからは、フェミニズム歴史学とかフェミニズム地理学とか、あるいは映画とフェミニズム、ファッションとフェミニズム……といったように、フェミニズム単体で独立して存在するだけではなく、さまざまなトピックに結びついて広く発展しています。

　このように、本来的には他者とのつながりや世界への広がりを持ち、自浄作用を働かせたり、警告を発したり、時には結びついた別の分野の点検のために使われてきたのがアートとフェミニズムです。ですから、使い方によっては、というか本来的には、「界隈」や「お仲間」のたこつぼ状態を脱するヒントをくれるものなのです。アートとフェミニズムは、いまは「みんなのもの」ではないのだけれども、「みんなのもの」になろうとするエネルギーをいまも持っています。

　そこで、本書では、アートとフェミニズムが誰のものなのかを点検し、それを「みんなのもの」に軌道修正するために、フェミニズムを使ってアートを読み解いていきます。

　まずは、たこつぼ化しているアートとフェミニズムの中の様子をお伝えできればと思います。第1章ではアートというやつが、なぜ「わかりにくい」のかという問いから始めます。どうして良いとされるのか。なぜこんなに値段が高いのか。そんなことを考えてみます。次に第2章では、「フェミニズム」について知っていきましょう。ベル・フックスの「フェミニズムはみんなのもの」という考え方を基盤に、アートを読み解くために使えるフェミニズムの基本的な知識をおさえます。第3章ではフェミニズムを使ってアートを読み解く方法を、そして、第4章ではアートの方法を使ってフェミニズムを実践した作品などをご紹介します。

アートとフェミニズムは誰のもの？　目次

第1章　アートがわからない

第2章 フェミニズムもわからない

第１章

アートがわからない

そもそも、アートって何？

正直、アートってわからない。

アートを目の前にすると、それが一流のものらしいということがわかっていても、説明不足の不親切な空間や、大きくて威圧的な見た目に置いてきぼりになったように感じる。「うーん、よくわからない」とやや投げやりになって展示室を素通りしてしまうこともあるし、壁に貼られた説明文を読んでみてもなお、「……はあ？」と思ってしまう。そのうえ、美術館やギャラリーのようなアートの空間では、自分以外の人みんなが「わかっている」ように見える手前、「わからない」と言うことすらはばかられる。

何がアートなのか。何がいいアートなのか。なぜこれはアートではないのか。どうやったらアートになるのか。なぜあのアートは高額なのか。なぜこのアートは誰にもかえりみられないのか。アートはなんでもありなのか。そして、なぜアートはこんな疑問を抱かせたり、いかがわしさ、強引さ、そして傲慢さを感じさせたりするのか。

この章では、そんなアートをめぐる「そもそも」の問いについて考えることからはじめてみます。

アートの入り口には境界線がある

と、これからアートについて語ろうとしていますが、実はわたしの専門は写真です。

わたしは写真の美学の研究をしていますが、大学は芸術学部の写真学科を卒業しているので、写真芸術、いわゆるフォト・アートについて文章を書くことが多く、アートに興味を持ったのも写真が隣接する分野だったからでした。そのうち、写真以外のアートについて文章を書く仕事をはじめ、このような本を書くにいたっています。

　フォト・アートは、アートの中の一分野でもあり、ときに、アートの外のものとして扱われたりする、ちょっと微妙な位置付けにあるジャンルです。実は、絵画と比べて写真は、アートの中では肩身が狭い思いをしてきました（かつて、写真が登場したとき、シャルル・ボードレールは「写真は芸術の下女であるべき」なんて言いました）。わたしも、写真というジャンルに出自を持ち、いまだ写真に軸足を置いているので、アートの中の人間として扱われることもあれば、アートの外の人間として扱われることもあります。これをいいことに、というよりもほとんど開き直りのようなかたちで、アートの中ではこんなことが起こっているよ、ということを外の人に伝える役割を勝手に仰せつかった気になっています。

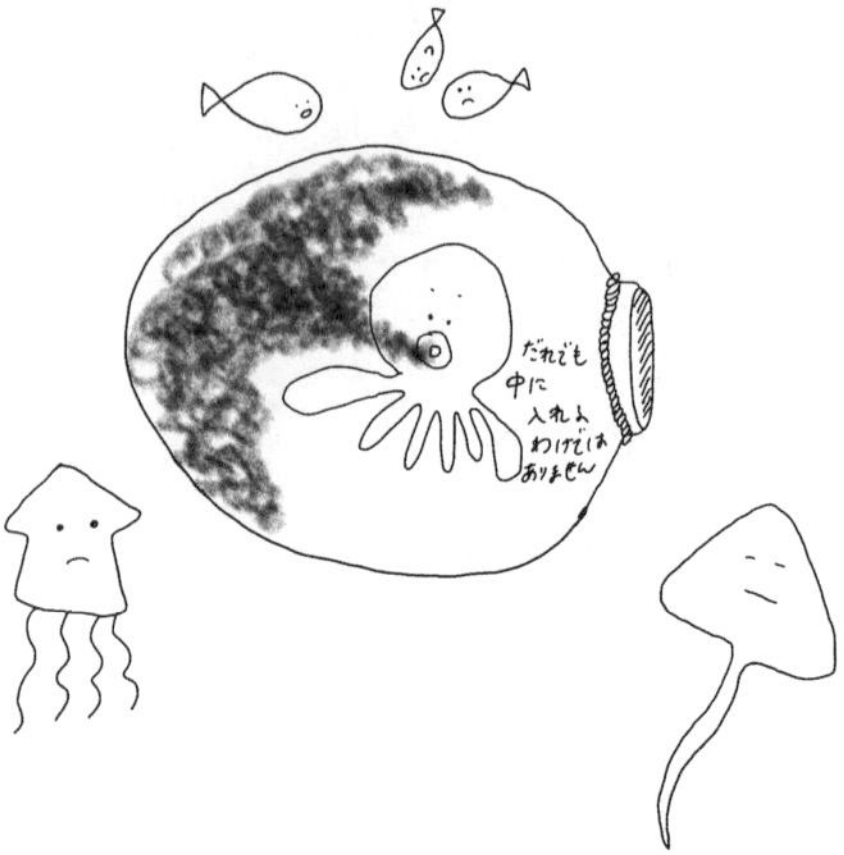

というのも、わたし自身がアートのことを学び始めた時、大いに困惑したし、いまだに「わからない」と感じることがあるし、「これってわたしが正真正銘のアートの人間じゃないからかも……」なんて疎外感を抱くことがあるからです。

この、微妙な位置付けにある「写真」からアートに触れ始めたわたしが、アートの中と外の境界をうろうろしている……、ということからわかるように、アートには実は、その入り口に境界線があって、なんでもありではなく、誰でも歓迎してくれるわけではないのです。

でも、「なんでもありではないなら、なんならありなのか?」と問われると、やっぱりひと言では答えにくい。

アートという「都合のいい言葉」

「アート（art）」という言葉は、日本では、「美術」や「芸術」と訳されます。でも、「装飾」的な意味で使われることもあるし、「デザイン」や「クラフト」、あるいはアトラクションと呼ぶ方が実態に即しているものも「アート」と呼ばれることがあります。「art」の語源となったラテン語の「ars」は「技術」という意味があるので、いまだにそのような用法も残っています。

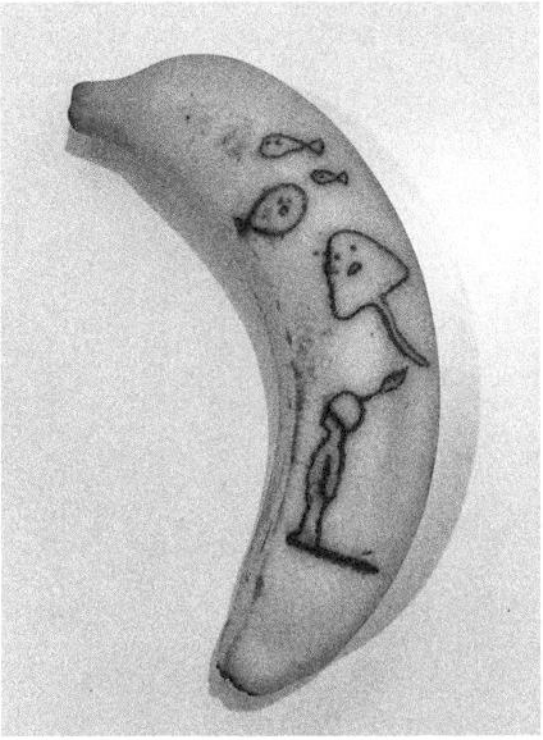

図1-1　バナナの皮の性質を利用したアート

例えばバナナの皮に針で絵を描き、刺したところが茶色く変色することで完成するバナナの皮「アート」（図1‐1）、卒業シーズンに色とりどりのチョークで描く黒板「アート」、沿線の名所のイラストでラッピングし

図1-2　ドナルド・ジャッド
《Untitled》1977年

た「アート」トレイン。インスタでよく目にするチーム・ラボは映《ば》えるデジタル「アート」だし、ビルに縄で女性を縛りつけた緊縛「アート」なんかも話題になりました。ラテ「アート」やネイル「アート」なんかもあります。ストーリーやエンターテインメント性よりも監督の作家的表現や演出にこだわった映画のことを「アート」映画と言ったりもします。

他方、昔ながらのいわゆる「ザ・美術」的な「アート」として、絵画や彫刻などがあります。特に人気の「アート」である、印象派やゴッホなどの教科書級の有名作品が来日した展覧会や、「国宝」級の日本の美術には、人が大挙して押し寄せ、上野の美術館には大行列ができることもしばしばです。

また、キャンバスが青や赤一色に塗られただけの絵画（バーネット・ニューマン）、ただの四角いブロック（ドナルド・ジャッド）（図1‐2）、切り込みが入っているだけのキャンバス

（ルーチョ・フォンタナ）（図1-3）、何も演奏しないオーケストラ（ジョン・ケージ）、バカでかい鉄の壁（リチャード・セラ）（図1-4）、ギャラリーの隅に積まれたフォーチュン・クッキー（フェリックス・ゴンザレス＝トレス）、折りたたんだ紙を横から撮っただけの写真（ヴォルフガング・ティルマンス）（図1-5）などは「現代アート」に括《くく》られていますが、これらに、目に見える共通点やルールを見つけることはかなり難しいでしょう。

　このように「アート」は実態として、アトラクションや映えスポット、落書きや生け花、

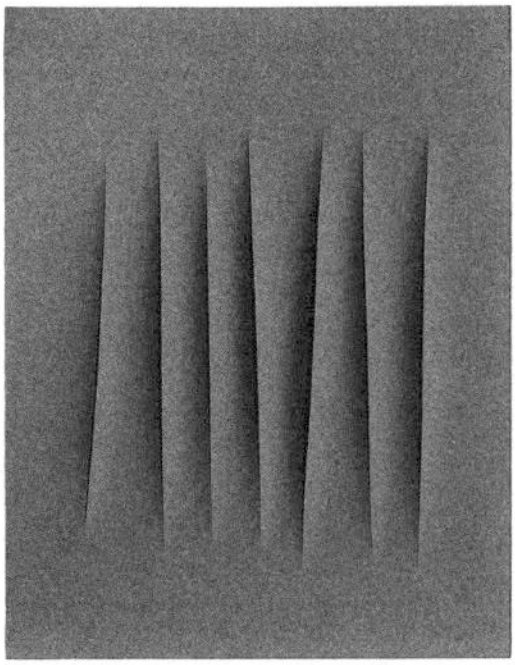

図1-3　ルーチョ・フォンタナ
《Concetto Spaziale, Attese. 1966》1966年

図1-4　リチャード・セラ
《The Matter of Time》1994-2005年

図1-5　ヴォルフガング・ティルマンス
《paper drop（window）》
2006年

絵画、彫刻、写真、インスタレーションなどを含む、とりあえずなんでも突っ込んでおける都合のいい言葉になっています。そういうわけで、「何がアートなのか」「何がいいアートなのか」といったアートに対するさまざまな疑問に応えることは、どんどん難しくなってきているのです。

作品の価値は「感動」に左右されない

そんな「なんでもあり」で「わけわかんない」ように見えるアートであっても、一部のアートが時に目玉が飛び出るような超高額で売買されていることもよく知られています。

例えば、2017年に、当時のオークションでの最高落札額を記録した《サルヴァトール・ムンディ》（推定1499年-1510年）（図1-6）は、レオナルド・ダ・ヴィンチ（Leonardo da Vinci 1452-1519）が描いたとされており、およそ510億円（！）の値がつけられました。《サルヴァトール・ムンディ》に続くのはウィレム・デ・クーニング、次にセザンヌ、ゴーギャン、そしてポロック、ウォーホルらの作品で、いずれも数百億円で落札されています。

では、このような驚くべき高値がつくのはなぜなのでしょうか。

オークションの場合は、参加する購入希望者たちによって価格が決まります。高額になるということは、複数の人間がその作品になんらかの価値や意義を認めたうえで競り合ったということです。《サルヴァトール・ムンディ》の場合は、現存する絵画のなかで唯一個人が所有しているダ・ヴィンチ作の（可能性が高い）絵画でした。それがオークションで売りに出されたことで、喉から手が出るほど欲しい！　という大金持ちが競り合って、びっくりするような値段がつきました。

図 1-6　レオナルド・ダ・ヴィンチ
《サルヴァトール・ムンディ》
推定 1499年 - 1510年

ですが、みなさんのなかには、アートはアーティストの自由な表現が「なぜか刺さる」「理由はわからないけどとにかく好き」というような感動の出会いをもたらすものであると理解している方もおられるのではないでしょうか。そう考えると、「個人所有できるダ・ヴィンチ作品」という理由で価値があるとみなされた《サルヴァトール・ムンディ》は、「刺さる」とか「好き」といった「感動」とはあまり関係がなさそうに思えますが、これは一体どういうことでしょう。

実は「アート」は、創作物を通じてアーティスト個人の考えや想いに、鑑賞者が心の動きで応えるとてもパーソナルで繊細なコミュニケーションである一方、その「感動」が作品の価値づけに大きくは関わっていません。これは、美術館に収蔵されたり展示されたりする作品を、美術館の関係者が選ぶときも同様です。

美術館などの機関では、アートの有識者たちが合議で、（個人的にではなく）組織として作品を選んで購入・収蔵しています。特に公立の美術館では、市民の「血税」でアートを購入するわけですから、その選択は重要です。有識者たちはこれを踏まえて市民を説得できる「有名作品」や「重要作品」を選んでいます。

しかし、そのようにして選ばれた美術館の収蔵作品（コレクション）展に行っても、前提知識なしにそれらの作品単体を見るだけでは、どうしてそれらが「収蔵」されるにふさわしい重要作品なのか、なぜ未来に残しておくべきなのかがわからない、ということもしばしば起こります。自分は全く心が動かされない、好きではない、もっとみんなが「好き」と思うものを置くべきではないのか、とそう思う人もいることでしょう。

でも、実は「感動」が作品の価値づけに関わっていないことにこそ、アートがもたらすパーソナルな感動を、この社会全体、あるいはこの時代の財産として評価し、支え、「みんなのもの」として残していくための工夫があります。

ただし、本書で言うところの「みんなのもの」としてのアートは「みんなが好きなもの」という意味ではありません。そもそも「みんな」が「好きなもの」なんてありえないからです。

つまり、アートの世界では「好き」よりも、「個人所有できるダ・ヴィンチ作品」的な、他者を説得することができる条件で作品の価値を測ることがルールとなっているのです。例にあげたダ・ヴィンチは、古今東西のアーティストのなかでもかなり広く一般にも知られていて、とても希少（当然1点モノ）ですから、アートに詳しくなくともその価値があることは想像がつくでしょう。

逆に言えばこれは、自治体の公立美術館や、公益性の高いアート関連の組織や施設で作品を収蔵・展示する場合、勤務する職員個人の感動を優先させて収蔵作品が決められているとしたらそれは大問題になる、ということでもあります。

価値判断の制度（仕組み）

このように、なんでも詰め込める「アート」という言葉に括られるもののたちのなかでも、アート有識者の理屈で金銭的に価値がある作品や、未来に残しておくべき作品、そして、多くの人に向けて公開すべきとされる作品があり、そうでない作品もあります。そして、ここには多くの人々にとって共有可能であり、組織や社会を説得する価値判断の基準があります。つまり、「よいアート」や「よいアーティスト」を決定するための制度（仕組み）があるのです。

ですから本書は、多岐にわたる「アート」のなかでも、この価値判断の仕組みのなかに組み込まれているか、組み込まれようとしている、いわば「美術館」に入ることを目標にしていたり、あるいはすでに入っていたりするような「アート」を対象にしています。

いまわたしたちが見ることができる今昔のアート作品は、いつかの時代の権力者やたまたまその時期に美術館で働いている職員の好みや気分で捨てられたりしないようにと、この「制度（仕組み）」によって選ばれ、守られてきました。「ずっと先の未来まで見ることができたほうがいい作品」として認められるには、この制度にのっとる必要があります。

アーティストたちは基本的にその仕組みに基づき、美術館などに自分のメッセージや考えを託した作品が収蔵されることや、誰かに手渡したりすることで作品の存在を未来に残し、自分の声をより遠くに届けようとしています。

アートを見るわたしたちも、アートのそのような仕組みにのっとることで、個人の「好き・嫌い」の話に終始せずに済みます。

なお、この本で言うところの「アート」のなかには、比較的古いために「美術」と呼ぶ方がしっくり来るような作品も、そして現代アートも、あるいは日本画と呼ばれるものも含みます。すべてのアートは、そのアートが生まれた時には「現代のアート」でした。そしてアートの有識者たちによる価値付けも、昔から脈々と受け継がれ、積み重なったものとして現在まで続いてきたのです。

アートは「見る」ものではなく「読む」もの

では、そのアートの有識者なる人たちによる価値付けはどのように行われているのでしょうか。

高額で取り引きされたり、美術館に収蔵されたり展示されたりするようなアート作品の良さについての価値判断がどのようになされたのかは、その作品を「見る」だけでは了解できないことが多いということは先ほども述べました。ではなぜ、「見る」だけではわからないのでしょうか。

「見る」だけでよくわからないのは、アートがむしろ「見る」よりも「読む」ものに近いからです。

もちろん、アートを「読む」ための理屈を知らなくても、例えば、印象派とか伊藤若冲（1716-1800）、バーネット・ニューマン（Barnett Newman 1905 – 1970）や、ルーチョ・フォンタナ（Lucio Fontana 1899-1968）らの作品を「見る」だけで、「かっこいい！」「すごい！」と震えるような感動を覚える人もいるはずです。むしろアート好きの人のなかには、そういう人の方が多かったりするかもしれません。有名な画家や写真家が作ったものでなくても、絵画や写真などのイメージを見て、「好き」とか「刺さる」とか感じることができる人もいるし、あるいは、高度に「インスタ映え」的センスを鍛えあげ、即座にそのイメージの「映え」度合いを判断できる人もいるでしょう。こうした人たちは、美術館やギャラリーで、自分なりの「センス」を発揮し自由に「見る」ことを楽しむことができるはずですから、そもそもこの章の冒頭のようなアートへの疑問を持つことすらないかもしれません。

でも、繰り返しになりますが、このように絵画や写真などから受ける感動は、やはりアートの価値付けにおいては、とても個人的なものにすぎないのです。例えば「インスタ映え」に最適化したセンスを持っている人がある作品に対して行う「価値判断」は、個人のＳＮＳのフィード上を演出するためのもの。ですから、その人が選ぶ「いい作品」は、新たに投稿されていく写真によって流されていくので、文字通り「インスタント」で、その場かぎりです。未来に残すべき作品の価値を判断しているのではありません。

もちろん、作品を鑑賞するときの個人的な感動はとても大切で、それ自体素晴らしいことです。例えば、自分だけが感動できる秘密の作品があれば、それはある意味で最も純粋なアートの鑑賞と言えるでしょう。

しかし、作品を鑑賞する時に、その作品の見た目に感じ入ることができず、「これのどこがいいの？」と考えてしまうタイプの人（わたしです）にとっては、どこかの誰かさんの個人的な感動だけでアートの価値が決まるとなると、アートを楽しむ可能性は断たれます。このように、アートにおいて「個人的な感動」は、良くも悪くも作品の価値判断のうえではほとんど役に立ちませんし、アートをわからないと感じる人の助けにもなってくれません。

つまり、アートの価値や良さが生じるのは、「個人的な感動」のむしろ逆。歴史的な意義や新しさ、社会との関係性などの、共有可能なその作品固有の事情に対してなのです。アート作品は、それまでに作られた幾多の作品や、アーティストを取り巻く社会の状況に応答して制作されるものであり、社会や文化といった文脈に結びついたものなので、そういったさまざまな「背景」を読むことが、そのイメージを読み、すなわちその作品を理解することになります。個人的な感動、言い換えるならば、作品から受ける「印象」は、その鑑賞のなかの非常に大きな要素ですが、その「印象」はときに「思い込み」となってさらなる理解を妨げてしまうことさえあるのです。

アートを通じた個人的な感動の経験を守っていくことは重要ですが、それぞれに異なる個人的な感動を「みんな」で共有することはできません。だからこそアートは、「アートに関する知識を駆使して読まれる社会的な存在」として続いてきました。

ですから、ここではっきりさせなくてはならないのは、「印象」や「思い込み」を超えて作品を読むには、アートについての「知識」が必要なのだということです。

アートを「読む」ために必要なツール

アート作品を「読む」ために必要とされるのが、美術史と美術批評の知識です。これらは、「見えるものを読めるようにするためのツール」として機能します。ではその、美術史や美術批評とはどういったものでしょうか。

まず、「美術史」は、文字通り「美術の歴史」が書かれたテキストの総体です。美術史は、あらゆる作品と作品の間に生じる影響や関係性、ある作品が生まれた時代背景などから作品の位置付けを示す、アートの地図のようなもの。この地図は、ある作品がどのような作品と隣り合っているのか、どんなグループに属しているのか、そして、アーティストがどのような生涯を生きたのかなどを明らかにすることで、鑑賞を手助けしてくれます。そういった美術史の研究をする人を「美術史家」と言います。

「美術批評」とは、ある作品が、なぜ、どのように、良いのか、あるいは悪いのかについて書かれたテキストです。このテキストを書く人たちを「美術批評家」と言います。美術批評家たちは、アート関係の本や雑誌やウェブサイトなどのためにテキストを書いて、アーティストが制作した作品について、美術史を参考にしながら自分の「読み」を披露することを主な仕事にしています。ある作品を見た経験を、他の鑑賞者にも共有可能な言語にして説得的に伝えることのプロフェッショナルです。このプロの「読み」が、実際にわたしたちが作品に対峙《たいじ》したときに、わたしたちの作品の読みをサポートしてくれます。

なお、「批評家」という職業には「批判」の「批」という文字が使われていることから、何かを批判する仕事と理解されていたりもしますが、これは間違いです。むしろ、アートの業界において批評家は、フィギュアスケートのテレビ放送における解説者のように「ブレのないトリプルアクセルです。高得点でしょう」とか、「ダブルトウループ、高さがあります。加点対象です」と、素人には判別の難しい技の名前と評価を教えてくれるような役割を担っています。もちろん作品や展覧会を批判することも多くありますが、そうした場合にも、その作品の何がどう悪いのかを（むしろ好きなんじゃないかと思わせるほどに）懇切丁寧に説明してくれるのが美術批評家です。フィギュアスケートの解説者と美術批評家が異なるのは、同じ作品を評するとしても、それぞれの美術批評家が別の言葉を使ったり、別の話し方をするということであり、その「読み」や言葉選び自体がある種の作品として成立し得るものであるということです。そして、その多様な話し方と言葉の蓄積が、アート作品の価値付けにかかわってきました。

でも、アートを、単に「見る」だけで感動でき、その価値に否応なく説得されてしまうものと思っている人にとっては、「美術史家」や「美術批評家」が存在していることやその必要性はあまり知られていないように思います。

繰り返しになりますが、アートの「よさ」は、「見る」ことではなく、そういったアートの作品固有の価値を、他の作品や時代との関係性のなかに、つまり、美術史や美術批評を導入して、「読む」ことによって生じます。同じ芸術というカテゴリであっても、「聴く」だけで感動することができる音楽とは、この点が大きく異なっているといえます。

いわば美術史や美術批評というツールは、読み取れそうなものが見えるけれども、よく読めない、という時に使うメガネに近いのです。

ですから、「見えるものを読めるようにするための」メガネがなければ、ある作品が高額落札された理由や美術館に収蔵される意義が見《み》出《いだ》せないのはむしろ当たり前のことなのです。

ジャクソン・ポロックの絵に絶望したわたし

と言いながら、わたしも、美術批評や美術史に関する知識を全く持たずに美術館を訪れ、

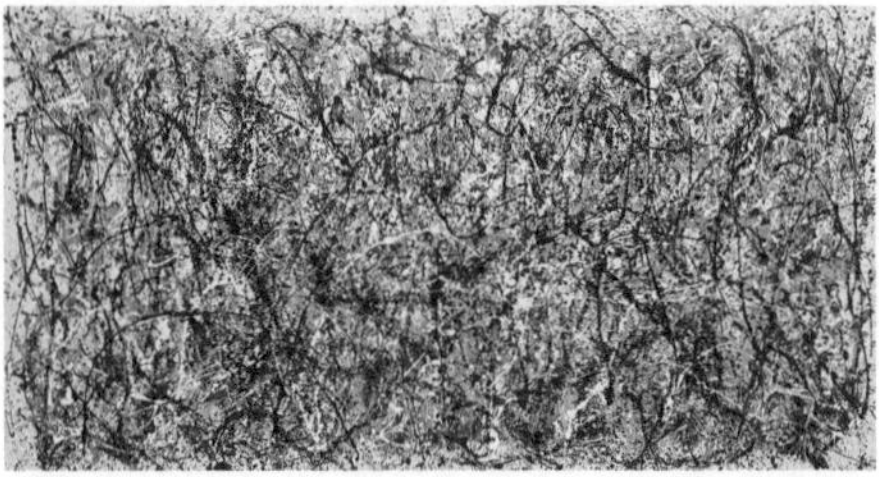

図1-7　ジャクソン・ポロック《One：Number 31, 1950》1950年

痛い目にあった経験があります。

２０１２年に東京国立近代美術館で開催されていたジャクソン・ポロック（Jackson Pollock 1912-1956）（図１－７）の展覧会に行った時のことです。ジャクソン・ポロックは、アメリカを代表する現代アートのスーパースターで、ぐちゃぐちゃの線でキャンバス全体が覆われた大きな抽象絵画で知られています。

当時、大学で写真を勉強していたわたしは、絵画や彫刻のアーティストにはほとんど関心がなく、写真家や写真を使用しているアーティストを、かろうじて数名知っているという状態で、ジャクソン・ポロックの展覧会のことは友人に教えてもらいました。

「え？　ポロック知らないの？（あんた、芸術系の大学で勉強してるんじゃないの？　というニュアンス）」と言われ「どうやら見ておいたほうがいいのかも……」と思い、ひとりで美術館を訪れたのです。美術館に向かう道すがら、軽く画像を検索して「あの、ぐちゃぐちゃのやつか〜、なんか見たことあるかも〜」と思い、よく調べもしませんでした。そして前提知識のない丸腰状態でジャクソン・ポロックの作品との初対面を果たしたわたしは、あの、ぐちゃぐちゃのとにかくデカい絵が延々と続く会場に、感動ではなく戸惑い、いやむしろ落胆やいら立ちに近い感情を覚えました。

何がどうしてどうなったらこの絵が美術館で展示されるの？　なんでこの絵が重要なの？　当の絵画だけを見ていては、全く理解する糸口が見つからなかったのです。「抽象表現主義のアーティスト」と聞いてもほかの「主義」のこともよく知らないから違いがわからず、アクション・ペインティング、ドリッピング、ポーリング、オールオーヴァー……など、カタカナの連続に心が折れ、批評家や関連するアーティストの名前も、当然「誰？」という状態。作品のわきに設置されている作品解説パネルは、何度読んでもやはりいまいち何を言っているのかわかりませんでした。

これがわたしの知っている日本語なのか？　と絶望し、初対面の美術批評や美術史の言葉全てがまるで硬いグミのよう。噛み砕くことも飲み込むこともできません。悲しいやらムカつくやら悔しいやらで美術館を後にしたのでした。

ポロックの「読み方」

ですが、この時のわたしにとって「ぐちゃぐちゃのデカい絵」でしかなかったポロックの作品も、美術批評・美術史の知識を通じてさまざまに読み解かれています。ポロックの作品の「読み方」をキーワードとあわせてざっと列挙してみましょう（ここは、本書の本題ではないので、難しいなと思ったら次の見出しまで飛ばしても大丈夫です）。

①抽象表現主義

ポロックは、美術史においては「抽象表現主義」の代表的なアーティストとされ、第二次世界大戦後、アートの中心都市をヨーロッパ（パリ）からアメリカ（ニューヨーク）に移行させた超重要作家のひとりです。これが美術史、つまりアートの地図におけるポロックの位置付けです。抽象表現主義とは、「表現主義っぽい抽象絵画」のこと。「人間」や「木」など、具体的なモチーフを描かない抽象絵画は１９１０年代から他のアーティストによって描かれてきましたが、ポロックの作品のように躍動感のある描き方の抽象画は珍しく、その荒々しさが表現主義的であったために「抽象表現主義」とされました。

②ドリッピング／ポーリング

ポロックの作品は、床に大きなキャンバスを敷き、上から絵の具を垂《た》らしたり、撒《ま》き散らしたりして描かれています。この描き方を「ドリッピング」や「ポーリング」と言います。その絵の具の使い方は、一般的に筆やペンを使って「絵を描く」時のそれとは全く違っていました。キャンバスを水平に置いて絵の具をこぼすように描くポロックの方法では、キャンバスに直接、筆が触れることもなく、それまでの抽象画に見られた幾何学的な線やかたちは生まれません。そこにはこぼれた絵の具でできた線と、シミと、絵の具のしぶきだけがあったのです。

③オールオーヴァー

ポロックの絵画の、全てが均一に「ぐちゃぐちゃ」に覆われている手法は「オールオーヴァー」と呼ばれました。これは、[allover]＝「全面を覆う」という意味の英単語をもとにしたキーワードです。一枚の絵画の中でのモチーフの関係に優劣がなく、そして主題になるものもなく、背景がないので奥行きがない、「平面的」な絵画であると評されました。

④平面性

この「平面的」という特徴について、美術批評家のクレメント・グリーンバーグ（Clement Greenberg, 1909-1994）は「モダニズムのもとで絵画芸術が自らを批判し限定づけていった過程において、最も基本的なものとして残ったのは、支持体の不可避の平面性を強調することであった。平面性だけが、その芸術にとって独自のものであり独占的なものだったのである」と述べました……が、これはちょっと難しい言い回しかもしれません。

そもそも、グリーンバーグという人は、まず「よい」アートの基準として「絵画は絵画らしく」「彫刻は彫刻らしく」という基準を設定した人です。そのうえで彼は、「絵画らしさってなんだろう」と考えます。彼によれば、美術史におけるいろいろな「絵画」を煮詰めていくと「平面性」だけが、絵画が持つ特別の性質となるのだそうです。そこで、彼の考える「純粋な良い絵画」の基準が「平面的であること」とされ、ポロックをはじめとして、当時、同様に「平面的」な抽象画を描いていたマーク・ロスコやバーネット・ニューマンらを高く評価する仕組みができました。この仕組みを「形式主義（フォーマリズム）」と言います。

その後グリーンバーグは、自分の編み出した「フォーマリズム」に適応する特徴を持つ作品を積極的に応援することで、自分の論理を補強していきます。

⑤水平

グリーンバーグの弟子のひとりである批評家ロザリンド・クラウス（Rosalind E. Krauss 1941-）は、ポロックの絵画が制作中には「水平に置かれていた」という点に注目しました。それまでの絵画はキャンバスをイーゼルに置いて垂直状態にして描かれるのが普通でしたから、地面と同じ低い位置にキャンバスを敷いて描く手法は、かつての「垂直」で「高級」な絵画の伝統を打ち破り、制作中のアーティストが釘やタバコの吸い殻や画鋲やマッチなどのごみを自ら投げ入れるような「水平」の「低級」なものへと変容させている、新しいものだと主張しました。

⑥アクション・ペインティング

美術批評家ハロルド・ローゼンバーグ（Harold Rosenberg 1906-1978）は、それまでの絵画のように静的にキャンバスに向かって描くのではなく、全身を使ったアクションに伴って描かれているポロックらの絵画に着目しました。そこで、アーティストの動的な行為の痕跡が残る「場」としてキャンバスを扱う描き方を、「アクション・ペインティング」と呼びました。なお、写真家のハンス・ネイムス（Hans Namuth 1915-1990）は、ポロックの制作風景を撮影し、彼の動きを「ダンスのようだ」と述べています。抽象表現主義の作家として「激しい感情の表出」や「アクション」として読み取られてきた作品ですが、実は、その動きは優雅でコントロールされたものであったとも指摘されています。

ここまで、ポロックの絵画を例として、「美術史・美術批評」の「読み」を列挙してみましたが、特にポロックの作品は、他のアーティストに比較しても制作プロセスから実際の絵画の見た目に至るまで注目ポイントがいっぱいです。もっとも、ここでは触れきれなかった読み方や、もっと新しい読み方もあるかもしれません。

とにかく、ポロックの作品が重要だと思われているのには、このようにさまざまな「読み方」ができることに理由があると言えます。そして、ポロックのように、画期的な注目ポイントをたくさん見つけてもらえる作品／アーティストは、美術史においても評価が高くなる傾向にあります。

つまり、「良い作品」とされている作品とは、このようにたくさん論じられ、たくさんの「読み」がなされている作品だ、とひとまず言うことができるでしょう。

「アートワールド」のしきたり

とはいえ、ここまででお気づきの人もいるかもしれませんが、アートを「読む」美術批評の言葉や論理の展開は観念的で難しいしわかりにくいものです。「美術史」の膨大な知識を身につけるのも単純に大変です。はっきり言って、このような「前提知識」は知らなくて当然なのです。知らない方が普通です（もちろん、美術史や美術批評のことをもっと知りたい！と思った方にはその入門書を手に取ることをおすすめします）。

つまるところ、残念ながらアートの価値判断は、アートの有識者には共有されているけれども、一般的にはあまり知られていない知識を基盤にしていて、かつ、鑑賞者やアーティスト個人の感動や思いとはあまり関係なく決まっていくというのが実情なのです。

このようなアートを判断するための知識が共有されている「界隈」を、哲学者で美術批評家のアーサー・ダントー（Arthur C. Danto 1924-2013）は「アートワールド（The Artworld）」と呼びました。

ダントーが考える「アートワールド」とは、ギャラリー、美術学校、定期刊行物、美術館、評論の体制、キュレーターなどによって構成されるアートの制度を支える複合体。かなり端

図1-8　アンディ・ウォーホル
《ブリロ・ボックス》1964年

的に言えば「アート業界」のことと言っていいでしょう。このキーワードは、ダントーがポロックに並び超重要アーティストであるアンディ・ウォーホル（Andy Warhol 1928-1987）の《ブリロ・ボックス》（1964年）（図1‐8）という作品を中心に分析した論文で示されました。

ウォーホルの《ブリロ・ボックス》とは、キューブ状のスチールウールに洗剤を染み込ませた食器洗い用パッド「ブリロ」という商品の段ボール箱のデザインを、そっくりそのまま木箱に描いた「彫刻作品」です。見た目は、商品としての実際のブリロの箱とほぼ完全に同じに見えるように作られています。

自身の個展でウォーホルは、自作の《ブリロ・ボックス》をアートギャラリーのなかに積み上げ、ぱっと見、スーパーマーケットの倉庫のようにしか見えない光景を作り出しました。ウォーホルはこれをアートだと主張し、案の定、この作品に対しては「なんでこれがアートなの？」という声が上がったのです。「これがアートならブリロの工場に勤める人が作る本物のブリロの箱もアートじゃないの？」。

こうした問いを受けて、美術批評家であるダントーは、この作品がアートと言える理由を考えました。

ダントーが導き出した答えは、「ブリロ・ボックスとブリロ・ボックスからなる芸術作品との違いを生み出すのは、結局のところ、ある種の芸術理論である」というものです。ウォーホルの《ブリロ・ボックス》のような、「なんでこれがアートなの？」と思われるような作品をアートと認識するには、「芸術理論」、つまり、美術批評や美術史の知識を持っている必要がある。理論や歴史がなければ、「ブリロ・ボックス」はアート作品にはならないと主張しました。

この「理論や歴史」の知識を持ち、それを積み重ねてきた業界や業界人たちが作る組織によって構成されるのがアートワールドです。そしてこの「アートワールド」は、ただの「物体」を「アート」として成立させるための条件でもあります。逆に言えば、全く同じ物体であってもアートワールドの外に出たり、時代が違ったりすれば、アートではなくなります。

ですから、もし、「ブリロの工場に勤める人が作る本物のブリロの箱」をアートにしようと思ってもそれは自動的にアートになるのではなく、例えば「アーティストが本物のブリロの箱を借りてきて自作として発表する」とか「美術館やギャラリーに展示する」とか、あるいは「ブリロの工場に勤めている人が芸術理論を身につけていて戦略的に作品としてブリロの箱を作る」といった、アートワールドに適合させる手続きが必要です。

このことが示すように、「アート」という語から想像するなんだか自由で奇天烈《きてれつ》な印象とは対照的に、アートワールドには、きっちりしたしきたりと、しきたりによって生じる高い敷居があるのです。

アートとして認められるために必要なこと

アートの歴史の上では、アートワールドのしきたりを踏まえて、アーティストたちが「これでもか！　これでもか！」とそれまで無価値だと思われてきたものの価値を認めさせようとしてきました。または、しきたりと戯《たわむ》れるようにして、それまでアートではなかったものを「アート」の枠のなかに組み入れてきました。ある作品の登場が既存の権威を塗り替えたり、あるいは、価値判断の基準もひっくり返したりしたこともあります。ウォーホルやポロック、そして、「便器」で知られるマルセル・デュシャンなどの作品はその最たる例で、このように、優れたアートは、鑑賞者が持っている「常識」や「普通」を疑う力を呼び覚まします。

このような先鋭的な作品に対して、美術史家や美術批評家たちなどのアートワールドの住人は、アーティストが膨張させた範囲を「アートの新領域だ！」と承認し、担保する役割を担ってきました。

しかしながら、アートワールドでは、この膨張のかたわらで、ある作品が美術史として記されるプロセスのあり方や、作品の「良さ」に関する判断について「あれがよくない」「ここは考え直すべきだ」といった、高度に専門的な論争が頻繁に生じています。このような活発な言論空間はアートの民主主義的な部分ではありますが、時にその議論が非常に難解になり、多くのアート作品と同じようにアートについてよく知らない人からすれば「何を言いたいのかよくわからない」と思わせてしまうのも事実です。

付け加えると、新興のギャラリーや新人アーティストなどが、「これも新たなアートである！」とアートの枠組みを膨張させようとしても、既存のアートワールドの住人たちが、「しきたりにかなっていない」ことを理由に、その作品やアーティストを無視し、「仲間に入れてあげない」こともよくあります。

歴史に残るアーティストたちは、「これがアートならこれもアートだろう」と、アートの領域の際（キワ）を攻めるように作品を作ってきましたが、それがアートとして認められたのは、彼ら・彼女らが常にアートワールドのルールを踏まえた範囲で創作をしてきたからです。言ってしまえばこれは、高度に専門的な知識を前提とした「神々の遊び」のようなものです。

このような、アートワールドにおける専門的な知識を前提とした戯れや、難しい論争、そして新規参入者への無視などは、側《はた》から見れば高飛車で、ときに怒りっぽい（でも何に怒っているのかもよくわからない）、意地悪な態度に思えます。これでは、アートをとりまく環境が保守的で、排他的な怖い世界に見えても仕方ありません。というか、この本を書いているわたしでさえ、いまだにそう感じることがあるほどです。

「わかる人」にだけわかればいい？

このようなアートワールドのしきたりや、住人の間でしかわからない言葉の応酬を見ると、この業界がとても閉鎖的であることに気がつきます。もちろん当のアートワールドの住人も、アートワールドのなかの論理が、とても難しい言葉で展開されている自覚はあるはず。広がりすぎて曖昧な定義、一方で強固に組み立てられた難解な美術批評や美術史のロジック、そして、納得しがたい高額作品が、多くの人にとってアートをお金持ちやエリートの道楽で、一般市民の暮らしや生活とはなんの関係のないものだ、と感じさせるのではないでしょうか。

実際、長らくアートワールドのシステムは、社会生活や暮らし、あるいは、「よくわからない」と思っている人のことを切り捨てるかのように、作品とそれを支える理論を先鋭化させ、知識を共有する人、つまり「わかる人」にだけわかればいいという方向へと発展させてきた、と言わざるを得ない部分があります。もちろん、わかりにくい言葉でしか表現できないことがあるのも事実ですが、このように、アートは「みんなのもの」とは言いがたいのが実態です。

他方で、ここ数年は、既存の美術史や美術批評による「制度」を前提とした価値判断を無視するかのように、「読み」を受け付けない、と言うか、「読む」ためのメッセージや意図のない、楽しくておしゃれな「見た目だけ」のアート作品が、「話題の作品」として高値で取引されるようにもなっています。これはある意味では、「わかる人」だけにわかるアートが評価される業界に風穴をあけているようにも見えるかもしれません。しかし、これは、お金を持っている限られた人たちが、アートを守るための「制度」というルールや美術史や美術批評的な「読み」のセオリーを知らないままに、個人的に「好き！」なアートの価格を、自分や仲間のお金で吊り上げ、新たな権威を作っているにすぎません。

　論理的であれ、経済的であれ、「権威」が「良い」と判断したものが「良い」ものとして定まっていき、影響力を持たない人の判断が軽視され、そういう人々が自らの判断を手放していく様子は権威主義にほかなりません。「既存の権威を疑う方法」でもあるアートが、再び拝金的な権威主義に陥っているというのはなんとも皮肉な事態で、これまたアートを「みんなのもの」から遠ざけています。

　無論、アートという定義しがたいものを評価していくためには一定の基準が必要です。個人的な感動だけで作品の良し悪《あ》しは決められないうえに、無価値だと思われてきたものに価値を認める仕組みもないということになれば、ただでさえなんでもありの「アート」は輪郭を失って、そのうち雲散霧消してしまうでしょう。だからこそその「アート」の輪郭を守るために、アートを「見る」のではなく「読む」ものとして評価する仕組みがありますし、そして、強権的でお金を持っている個人の感動ではなく、みんながその価値を納得できる作品をこそ評価してきた、はず、だったのに……。

つまり、いまアートが抱える問題のひとつに、アートの輪郭を守ろうとしてきた結果、「読む」ためのツールである美術史や美術批評が先鋭化しすぎて、限られた人にしか使えないものになっているということがあげられます。

美術史や美術批評を通じてアートを「読む」ことは、ある種の民主的な価値判断を確保するものでもあったのですが、それが極度に難解になり、「わからない」と感じている人や市民生活は置いてきぼりになってしまったのです。

そこで、本書では、先鋭化してしまったアートを読み解くためにフェミニズムを使います。アートを「読む」方法には、フェミニズム以外に、先ほどのグリーンバーグが提唱したフォーマリズム批評や、ポストコロニアル批評、あるいは、精神分析批評など何通りもの方法があり、それぞれの方法がそれぞれの歴史を持っています。フェミニズム美術批評／フェミニズム美術史の良いところは、アートワールドが抱える問題を無視することなく、普段の暮らしのなかにある悩みや不満に引きつけてアートを読むことができるという点にあります。

そして、この方法であれば、たこつぼ化したアートを、日常と接続させることができます。

と言っても、「フェミニズム」についても「アート」と同じように「ちょっとよくわからない」と感じている人も多いかもしれません。ですから、次の章では、既存の権威に反対する理念・理想をもって発展してきたという点でアートと共通しているフェミニズムついて、詳しく説明していきます。

第2章

フェミニズムもわからない

そもそも、フェミニズムって何？

第1章では、「アートのわからなさ」から話を始めましたが、「はじめに」で述べた通り、フェミニズムも、「よくわからない」「自分のものではない」と多くの人に思われているという点では同じです。「そもそも、フェミニズムって何？」「フェミニズムとアートになんの関係があるの？」「アートもわかりにくいけどフェミニズムはもっとわかりにくいんじゃ……？」と、そんな声が聞こえてきそうです。

確かに、「フェミニズム／フェミニスト」という言葉には、なんだかいつも怒っていて怖いというような印象がこびりついていますし、そのために、わかりたいと思っても最初の一歩を踏み出しにくいかもしれません。また、アートについては楽しみ方を知っていても、フェミニズムおよびフェミニズム・アートのこととなると、なんとなく避けてしまう人もいるでしょう。

そこで、この章では、次の章以降でフェミニズムというツールを使ってアートを読み解くときにおさえておきたいフェミニズムの考え方についてお話ししていこうと思います。

ポロックとクラズナー――権威主義＋男性至上主義

第1章では、アートワールドのいくつかの問題点を指摘しましたが、アートワールドにはもうひとつ、大きな問題があります。

実は、わたしが第1章で名前をあげたアーティストや美術批評家は、ロザリンド・クラウスただひとりを除いて、実はすべて男性でした（ついでに言うと、若冲などの日本画家をのぞき、クラウスを含むすべての人が、ヨーロッパかアメリカ、つまり西洋で活動する人たちです）。この偏りは、わたしの恣意的な選び方によるものではなく、実際のアート業界の現実を反映しています。

このようにアートワールドは、権威主義に加えて男性至上主義（かつ西洋中心主義）であると言わなければなりません。男性至上主義とは、端的に言えば「常に男の方が偉い、なぜなら男だから」という考え方です。そして、アートワールドの仕組みのなかにこのような問題点を発見し、これを指摘するのがアートにおけるフェミニズムです。

アートワールドにおける男性至上主義は、例えば、第1章で登場したジャクソン・ポロックをめぐるエピソードにも現れています。

彼が高く評価された時代背景には、第二次世界大戦後、兵士や政治家以外のヒーローを待望する戦後のアメリカの空気があったと言われています。

そのなかで、ポロックと彼の作品は、全身を使った動的な描き方や、色彩の選び方の統一性のなさや計画性のなさ、彼が抱えていたアルコール依存症との戦い、創作をめぐる格闘、対象やモデルを必要とせず、彼の無意識を爆発的に表出させる場としてのキャンバス……と、さまざまな要素を持っており、それぞれの要素が「男らしさ」に結びつけられました。

このようなスタイルは、それまでのヨーロッパのアートとは確かに違っていたために、アメリカ発のヒーローとしてのポロックのイメージが確立し、同時代の映画スターであった、マーロン・ブランドやジェームズ・ディーンのような時代の顔になったのでした。

他方、そんなジャクソン・ポロックの妻でもあったアーティストのリー・クラズナー（Lee Krasner 1908-1984）も、実はポロックとよく似た作品を制作していました。クラズナーとポロックは制作においても相互に影響し合う関係にあったのです。

「あの現代美術のスーパーヒーローであるポロックに影響を与えた」わけですから、「背景」や「文脈」を重視する美術史においてクラズナーは高い評価を得ている、かと思いきや、実はポロックと比較すればクラズナーの展覧会の数はずっと少なく、十分には評価されてきませんでした。

クラズナーのアーティストとしてのキャリアは古典的な美術学校からはじまっていますが、ヨーロッパの最先端の美術をアメリカに伝えた画家ハンス・ホフマンの私塾でも学んでいます。ホフマンからの教えで最先端の美術の知識を身につけた彼女は、ニューヨークのアートワールドの中心で、ピエト・モンドリアンなどの著名なアーティストと親交を持ち、同時代のアートに精通した注目の若手アーティストでした。

そんななか、クラズナーは成功する前のポロックと彼の作品に出会い強く魅了され、「この人を有名にしなくてはならない！」と感じたと言います。そして2人は親密な関係になっていきました。ポロックの大成を考えればこの時の彼女の見識にいかに際立ったものがあったかがおわかりいただけるでしょう。

そんなクラズナー自身の絵については、ホフマンが、「これは女性が描いたとは思えないほど素晴らしい」という「賛辞」を送った（そして彼女はそれに憤慨した）という逸話が残されています。

また、ポロックの作品を高く評価した美術批評家のグリーンバーグは、クラズナーからの紹介でポロックを知ったのですが、彼女については批評を一度も書いていません。当然、批評を書かれることは、アートワールドにおける「承認」のプロセスのひとつで、内容によっては成功の要因にもなりますから、アーティストのキャリアにとってはとても重要でした。ですから当時、アートワールドにおいて大きな力を持っていたグリーンバーグが「批評を書かない」ということになれば、これはこれでひとつの「評価」となります。

ちなみに、グリーンバーグはクラズナーに限らず、女性アーティストを総じて軽視していたことが指摘されています。また、美術批評家のハロルド・ローゼンバーグはクラズナーを「画家」ではなく「未亡人」として扱い続け、ポロックの死後も常にクラズナーを「ジャクソン・ポロックの未亡人であるリー・クラズナー」と紹介し続けたと言います。

そして、ポロックもまた、友人で彫刻家のハリー・ジャクソンとの会話の中で、クラズナーの絵を指し「ああ、あれはリーのちょっとした絵だよ」と語り、彼女の創作を軽視する態度をあらわにしていたと言います。さらに、母親（世の母親たちも含む）について「子宮を内蔵した古い墓穴」（！）と形容したこともあり、強い女性蔑視の感情を抱いてもいました。

図2-1　リー・クラズナー
《The Eye is the First Circle》1960年

オールオーヴァーの発明にまつわる噂

　ではここで、クラズナーの作品を見てみましょう（図２-１）。ポロックの作品と、ものすごくよく似ていますね。２人の（一時期の）共通点のひとつは、地と図の区別がつかない、全面を覆った筆致が特徴であるオールオーヴァーの様式でした。

　実際のところ、この様式をポロックが先に始めたのか、クラズナーが先だったのか断定することはできません。でも、クラズナーは、ポロックを有名にするために可能な限り献身したことが知られています。夫婦関係が良好な時には、アルコール依存症のケアをし、夫の成功のためにアートワールドの重要人物に紹介し、自分の制作よりも夫のほうを優先させ、人前では「ポロックの妻／恋人」として彼を立てるように振る舞いました。ですから、オールオーヴァーの発明という「ポロックの物語」も、「クラズナーがポロックのために作り上げた伝説」なのではないかという説があります。

あえて両者の違いを指摘するならば、ポロックが絵の具をキャンバスの上から撒き散らしたのに対して、クラズナーのオールオーヴァー絵画は絵の具のほかにサインペンやパステルなどを使って、キャンバスに直《じか》に触れて描かれています。その評価はひとまず置いておくとして、結果的に、「夫の劣化版」のように扱われることが多かったクラズナーは、作風を次々と変化させていくほかなく、その後はオールオーヴァーの作品を作らなくなっていきます（その後、ポロックはアルコール依存症を悪化させ、事故で亡くなります）。

もちろん、クラズナーとポロックの作品を単純に比較し、「こんなに似ているのにクラズナーだけが不当に低く評価されてきた！」と断定することには慎重になる必要があるでしょう。

しかし、美術史や美術批評の理論を含むアートワールドには、批評を書く／書かない、あるいは、作品を買う／買わない、展示の場所を提供する／しない、人に紹介する／しない、応援する／しない……といったひとりひとりの態度や、ひとつひとつの価値判断と意思決定の積み重ねによって男性至上主義というとても強い癖が作られていたのです。

女性が活躍できないアートワールド

このようなアートワールドの癖は実はいまだに健在です。と、アートワールドの男性至上主義を指摘すると、「女性アーティストに比べてたまたま優れたアート作品／批評を残したのが男性だっただけでは？」とか「単純に女性がいなかったのでは？」「女性の努力が足りなかったのでは？」、あるいは「女性はもう十分に活躍しているのでは？」という声があがることが少なくありません。

「表現の現場調査団」の「ジェンダーバランス白書２０２２」によれば、日本国内の美術大学におけるジェンダーバランスは女子学生が73・5％なのに対し、女性の教授は平均19・2％。美術大学の教授となるようなアーティストや美術史家・美術批評家は、（実態はどうあれ）高い評価を受けている人が多いはずですから、アートに携わりたいと考え進学した女性が成功する例が、男性に比べて少ないということがわかります。ですから、「女性がいなかったのでは？」「十分に活躍しているのでは？」というのがいかに的外れな指摘か、おわかりいただけるでしょう。女性はいる。ですが十分には活躍できていないのです。社会学者の竹田恵子によるウェブ版美術手帖の記事「統計データから見る日本美術界のジェンダーアンバランス。シリーズ：ジェンダーフリーは可能か？（1）」によれば、国内美術館の収蔵品の男女比でも、男性がおよそ8割で女性は2割にとどまります（２０１９年）。

また、アメリカでも、アートマーケットウェブサイトのArtnet Newsと非営利団体In Other Wordsの２０１９年の共同調査によると、過去10年間、著名な26の美術館で開催された展覧会のうち、女性アーティストの展覧会は14％だったことが明らかになっています。

このように、アーティストもそれを論じる美術史家も美術批評家もほとんどが男性ばかりであったために、アートワールドの男性至上主義の癖が権威主義によってますます強められてきました。このことが、作品の評価における男女格差が拡大し続ける不平等のスパイラルをアートワールドにもたらしています。

本書ではアートワールドで議論されているさまざまな問題が、普段の暮らしや多くの市民の悩みとは関係のない、生活とかけ離れたものであることを第1章から指摘してきました。しかし、実は事態は深刻で、業界に蔓延《まんえん》する差別的な伝統が、自ら表現に取り組もうとする人にとっては、生計に、つまり生活に、なんなら生存に関わる文字通りの死活問題となっています。もちろん、こうした男女の不平等は当然、アートワールドに限った話ではありません。

このような「ジェンダー」の不平等をめぐる不満や悩み、日常のもやもや、アートワールドのゆがみ、そして「これっておかしくない？」という引っ掛かりからアートを考えるのが、フェミニズム批評／フェミニズム美術史です。

フェミニズムは女性だけのものではない

このようにフェミニズムがアートを理解するためのツールになる、と言うと「フェミニズムって結局女性のためのものでしょ？」「俺、全然関係なくなっちゃったよ！」と感じる人もいますよね。そんな人には安心してほしいのですが、実はフェミニズムは、「女性」だけのためのものではありません。

そのように述べているのが、黒人女性のフェミニストで、その名もズバリ『フェミニズムはみんなのもの：情熱の政治学（Feminism is For Everybody）』という本を書いているベル・フックスです。

ベル・フックス（bell hooks 1952 - 2021）は、フェミニズムの定義についてこのように語っています。

フェミニズムとは、ひと言で言うなら、「性差別をなくし、性差別的な搾取や抑圧をなくす運動」のことだ。（中略）私は、これがみんなの共通のフェミニズムの定義になるといいと思った。この定義が気に入っているのは、男性を敵だと言っていないことだ。問題は性差別だと、ズバリ核心をついている。より具体的に言うなら、この定義は、ありとあらゆる性差別的な意識や行動を問題にしている。そういう意識をもったり行動をしたりするのが、女であろうと男であろうと、あるいはまた子どもであろうと大人であろうと、関係ない。また、この定義は広いものなので、社会制度のなかに構造化された性差別をも問題にできる。さらに、どこまでも開かれた定義でもある。

フックスによれば、フェミニズムとは、「男性」や「女性」といった差異や、その属性自体を問題にするのではなく、その差異によって差別が生まれることを問題にする考え方です。つまり、「違い」はあってもいいけれど、「違っているから」と、仲間はずれにしたり、特定の役割を押し付けたりするのはいけない、ということです。

ちなみに、このような考え方は、性差別に限らず、ほかのあらゆる差別に反対する運動のなかでも主張されてきました。

例えば、障害者に対する差別。障害者を差別から解放することを目指して成立した日本各地の障害者団体の連絡会である全国障害者解放運動連絡会議（全障連）は、「障害からの解放ではなく差別からの解放」を主張しました。障害のある人のなかには、その障害によって心身機能に生じる痛みや困難がありながらも、同時に、自らの障害を自分らしさのひとつと考えている人が少なくありません。よって、全障連は、障害をなくすのではなく、障害者に対して差別的な社会のほうを変革することの必要性を訴えました。

黒人差別に反対するBlack Lives Matter運動でも同じです。「Black Lives Matter＝黒人の命は尊重されるべきものだ」という主張が示すように、黒人の命が守られ、自らが「黒人であること」に誇りを持つことができる社会の実現、つまり差別の撤廃が目標となっています。

このように、反差別の考え方は、「被差別的な属性」や「違い」自体をなくすべきものとするのではありません。逆に言えば、健常者や白人であること、そして男性であることには特権がありますが、健常者や白人や男性であることそれ自体はやはり責められるべきことではないのです。

このように、ベル・フックスのフェミニズムはあらゆる差別の撤廃を目指す「反差別」の理念に基づいています。

なお、現在の「フェミニズム」は、優先すべき権利や早期に対処すべき課題などについて、いくつかの異なる立場があるために「これがフェミニズムである」という意見の一致をみていないことから「一人一派」と揶揄《やゆ》されることもあります。ですから、本書では、多様なフェミニズムのなかでもベル・フックスによる定義、「性差別をなくし、性差別的な搾取や抑圧をなくす」という考え方をよりどころにしていきます。

フェミニズムの基本的な考え方「構造化された性差別」

ところで、先ほど、フックスによるフェミニズムの定義のなかに、「構造化された性差別をも問題にできる」という言葉がありました。

「構造化された性差別」――。人によってはあまり耳馴染《みみなじ》みのない言葉かもしれませんが、この「構造」という考え方が、実はフェミニズムでは基本になっています。

例えば、「弟の大学進学の学費を貯めておくために姉であるわたしは高校卒業後すぐに地元で働くよう家族から求められる」といった経験を想像してください。もちろん「弟のためなら」とか、「そもそも勉強嫌いだし」といった理由でこうした「家庭の方針」を、割とすんなり受け入れられる人もいます。でも、ここでは男性である弟の進学のために、女性である姉が持っていた進学という人生の可能性がひとつ絶たれています。

長らくこうした経験は、この家族が暮らす地域や、世帯の収入などといった個別の条件に基づいた「うちの事情」で「仕方がないこと」とされ、「個人が我慢すべき問題」として片づけられてきました。でも実際には似たようなことが性別を条件にして、そして、時代や空間を超えて繰り返されてきました。つまり、「誰かの問題」ではなく「構造の問題」だった。フェミニズムではこのように、問題の背後にある社会の構造を見て、その構造の問題点を指摘します。

「男性」対「女性」の争いではない

そして、この「構造」が立脚していたのが「ジェンダー」です。

ジェンダーとは、性別にまつわる【らしさ・こうであろう・こうであるべき】という、社

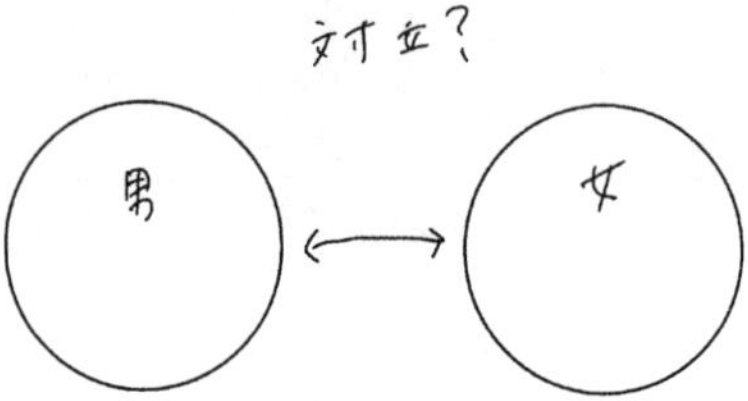

単なる対立ではなく。

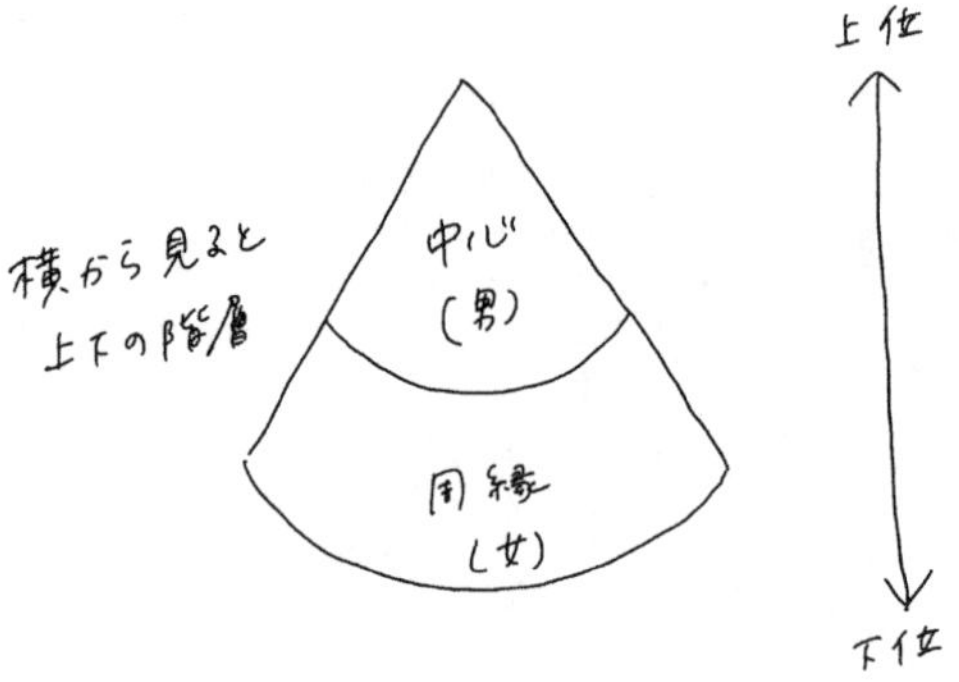

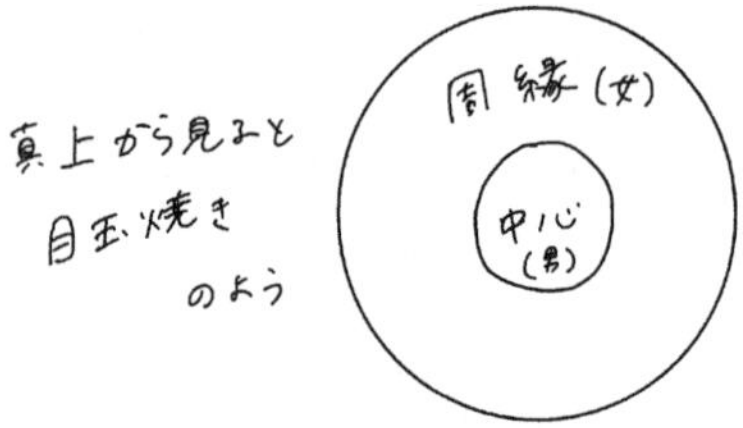

「上位・中心／下位・周縁」という関係性

会に浸透した通念です。

この社会におけるジェンダーの構造は、左右に男女を配置するような対立の構造ではなくて、上下の階層を持ち、さらに、中心と周縁に分離した構造として形成されてきました。

その構造は、立体の、円錐のような形状で考えると理解しやすいと思います。

この図は横から見た時には上下の階層になっていて、真上から見ると、目玉焼きのように二重の円になっています。男が上位で中心、女が下位で周縁。フェミニズムは「ジェンダー」というメガネを通すことで、このような不平等な構造をいたるところに発見します。

と言うと、ジェンダーの視点から社会の構造を見つめるフェミニズムについて、「男性を下位に追いやるための運動なんじゃないか」「男ばかり責められている気がする」と恐れを感じる人もいるかもしれません。確かに、「フェミニストは女性ばかり」ですから、そんな不安が出てくることもあるでしょう。

でも、本来、恐れる必要は全くありません。というのは、フックスが、「男性が仲間として闘いに加わらないかぎり、フェミニズム運動は前進しない。そうなるためには、フェミニズムとは男性に反対するものだという、文化的につくられた心理に深く根ざした思い込みを変えなくてはならない」と明言している通り、これは「男性」対「女性」の争いではないからです。

もちろん、特に日本では、現行の社会の構造において「上位」や「中心」を占める「決定権者」の多くはやはり男性です。このような社会構造を「家父長制（パターナリズム／patriarchy）」と言います。この言葉は、年長の男性である父がいちばん大きな権力を持ち、女性や子どもなどの「弱き者」は家父長の意思決定に文句を言わずに従うのが当然である、とする考え方を基盤にしています。それが、家だけでなく会社や国家などでも同じように働き、これが社会のすみずみにまで行き渡って癖になっている状態を「家父長制の社会」と言ったりします。

この家父長制の社会のなかでは、女性は、常に弱き劣位の存在とされると同時に、家父長のもとで「家」の中のこと、例えば家事や育児などを取り仕切ることが、外に働きに出たいという希望や意志に優先して求められます。逆に男性は、男性であるというだけでどんなに嫌でも、どんなに「このポジションにいたくありません！」と言っても、「上位・中心」に位置付けられてしまいます。そして、このようにシステマチックに優位とされる決定権者の無意識によって、不平等かつ不公平な構造が強化され、再生産され、温存されてきました。

これに対して、フェミニズムが批判するのはあくまで「性差別（をする人やその行為）」と性差別的な「構造（＝家父長制）」です。その構造のなかで上位・中心に振り分けられた「男性という属性（を持つ人）」ではありません。

いま、「フェミニズムは女性だけのもの」「フェミニズムは男性を虐げるもの」に見えてしまっているのは、フックスが言うところの「フェミニズムとは男性に反対するものだという、文化的に作られた心理に深く根ざした思い込み」が変わっていないからです。逆に言えば、男性の賛同・参画がまだまだ少ないからこそ、差別を受ける当事者である女性が「しょうがなく」フェミニズムの運動を担わざるを得ないのが現状なのです。

なお、この構造のなかで、特権性を持つ反面、常に過度な期待や責任を負わされる立場にあった男性のなかでもフェミニズムの影響を受け、自らの「男性特権」や男性であるからという理由で生じる窮屈さ・困難さに向き合う「男性学」の研究や「メンズ・リブ」の考え方や運動が広がりつつあります。

「完全な平等」は実現するか――フックスが目指す理想

ところで、先ほど引用したベル・フックスの「男は敵ではない」という考え方は、実は一枚岩ではない「フェミニスト」の間では、意見が分かれてきたポイントです。「女性の権利が虐げられているのだから、女性の権利を獲得できればいい、だって男性が女性の権利を奪ってきたんじゃないか、男は敵だ」――。「フェミニスト」を名乗る人からこんな意見が発せられることもあります。

では、そんな意見があるなかでも、なぜフックスのフェミニズムでは「男は敵ではない」と言えるのでしょうか。実は、この答えに、フックスが目指す理想が現れています。

> 思い描くのは、支配というものがない世界に生きること。女と男は同じではないし、いつでもどこでも平等というわけではなくても、交わりの基本は互いに相手を思いやることだという精神がすみずみにまで行き渡った世界に生きることだ。フェミニズム革命だけでそうした世の中ができるわけではない。人種差別や階級的エリート主義や帝国主義も、なくさなくてはならないだろう。それでも、愛にみちた共同体を創り、ともに暮らすことのできるような、真に目覚めた女や男になることは可能である。自由と正義の夢を実現し、わたしたちはみな「生まれながらに平等である」という真理に生きることは、可能なのだ。

フックスがかかげる理想は、とてもシンプルで筋の通った「反差別」の宣言です。彼女はフェミニスト理論家として、主に性差別について声をあげているわけですが、真に思い描いているのは、性差別に限らずあらゆる差別が撤廃された未来です。

ご存知の通り、この社会にはさまざまな差別があります。健常者と障害者、白人と有色人種、シスジェンダーとトランスジェンダー、異性愛と同性愛、高学歴と低学歴……などが同じ円錐のかたちの構造に割り当てられ、下位・周縁とされた者たちは軽視されたり、排除されたりしてきました。そのなかには下位・周縁とされる属性が重なる人もいます。

例えば、フックスのように黒人女性であれば、黒人であり女性であるということによって、人種差別と性差別に加えて、黒人女性ならではの困難や不合理を経験することがあります。

また、１９６０～１９７０年代の「青い芝の会」などの日本の障害者運動団体は、日々の介護に疲れ障害のある子どもを殺した母に、同情から減刑を求める声があがったことに対して「母よ、殺すな！」を合言葉に、障害当事者が生きる権利、殺されない権利を主張する運動を展開しました。障害のある人を殺した人が「かわいそう」とされて減刑が成立する社会は、障害者が生きる権利が脅かされる社会にほかなりません。言うまでもなく、命に優劣を

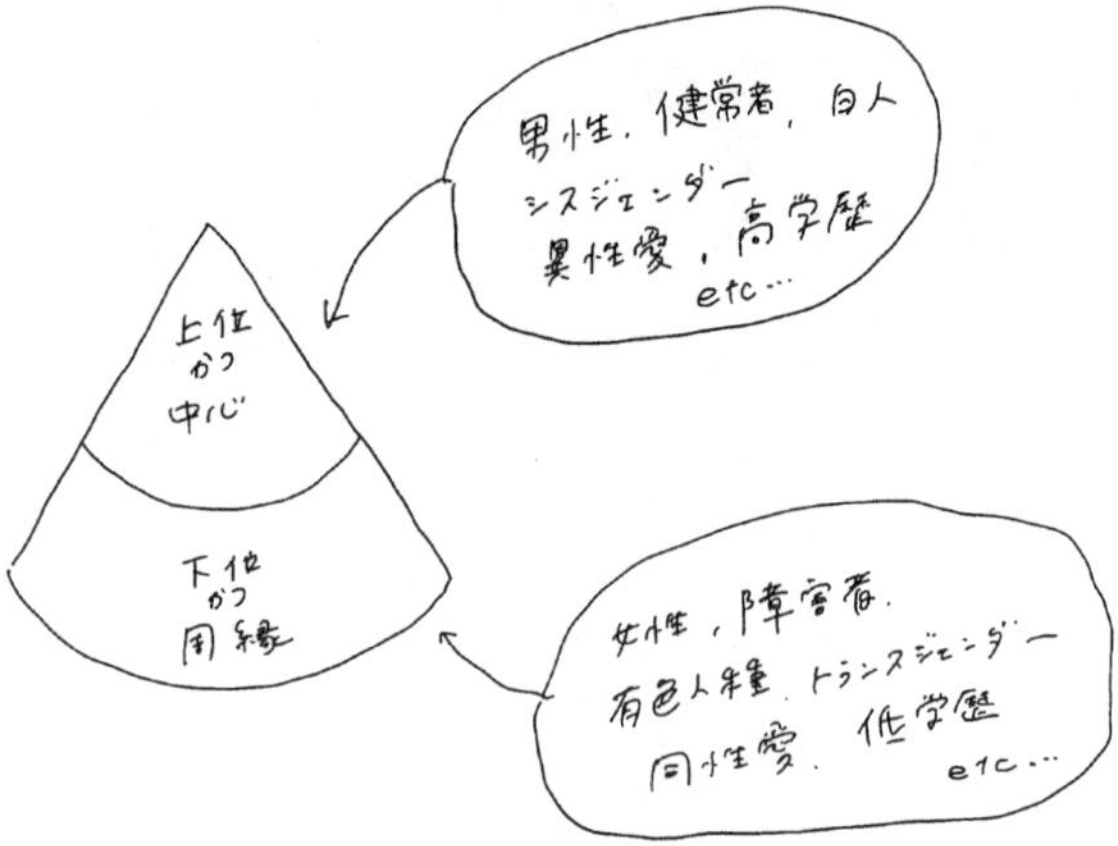

つけることも、我が子であれ人を殺すことも同じように断じて許されません。

しかし、こうした事件の背景には、「母だけで」障害のある子どもの介護をしなくてはならない環境があったことも想像されます。「母よ」と障害のある子の母に呼びかける一方で、母が子を殺したそのとき、「父はどうしていたのか？」と問われることがなかったのは、この運動が家父長制の社会構造を当然の前提にしていたからです。「親よ」ではなく「母よ」という呼びかけは、子どもを養育し介護する領域を母だけに任せることで非難し、父を「管轄外だった」として暗に減刑する態度が社会の隅々まで浸透していたからではないでしょうか。

このように差別は複合的なものです。ですから、もし、男女の平等が実現したとしても、平等の実現に向けた道の途中で、現在のわたしたちには想像もつかないような新しい差別が生まれるかもしれません。また、人種や民族、障害など、性差別以外の格差や差別が残されていたら「平等」とは言えません。あるいは、「フェミニスト」と名乗る人や女性だけが権利を勝ち取って、そのうちに幅を利かせて権力の座を占有するようになっても意味がありません（ちなみに、ナオミ・オルダーマンの小説『パワー』はそんなディストピアを大変面白く描いています）。

実際には、すべての差別が撤廃された完全無欠の平等の実現は、この資本主義の社会のなかでは、ほぼ不可能に近いのではないかとすら思います。もしも、近い未来に「完全な平等」が実現したとしたら、それは不平等を叫ぶ声を無視した上に成立するか、偏りやほころびに気づかない感性によって宣言されるかでしょう。

かと言って、ベル・フックスがかかげる目標は、夢物語のようなものだから諦めるべきことなの？　というと、もちろん決してそうではありません。

そうではなくて、フェミニズムは「これをやったら達成！」とか「ここまでやったらゴール！」というものではない、ということです。ましてや「フェミニスト」と名乗るだけでは何もしていないのと同じです。そう考えると、真のフェミニズム／フェミニストであるということは、「前進し続ける状態」のことを言うのかもしれません。

フェミニズムの実践――「読み解くこと」とは

さて、フェミニズムがこの不当な構造を打破するための運動は、ざっと大まかに2つの段階に分けることができます。

ひとつは、前線で「声をあげること」です。

フェミニズム運動の実践としては、女性参政権の獲得運動や、ライオット・ガール運動、中絶の権利を獲得するための運動、#MeToo運動などが、さまざまに行われてきました。フェミニストたちはストライキやデモ、座り込みや、ロビイング活動、詩や音楽などの創作、そして、最近ではSNSなどで意見を表明したりします。本書で紹介するフェミニズム・アーティストも、作品制作を通じて、「ここに性差別があります！」「この抑圧なんとかならないわけ？」「わたしたちを踏んでる足をどけてください！」と声をあげてきました。

これらのフェミニズムのありかたは、フェミニズムと言われたときに多くの人がイメージするものだと思います。この具体的な行動によって、女性はさまざまな権利を獲得しました。法整備が行われたし、他方で法律に規定されない社会的な常識も少しずつ変化し、ジェンダーの不平等は少しずつ是正されてきています。

今日《こんにち》、わたしが家の外で働くことができるのも、投票ができるのも、好きな服が着られるのも、このように行動を起こした先輩フェミニストのおかげです。わたしの暮らしの多くが、先輩フェミニストたちの実践に支えられています。

でも、誰もが突然「声をあげる」ことができるようになるわけではありません。

ここに、「声をあげる」前の段階の、フェミニズムのもうひとつの実践として「読み解くこと」があります。

フェミニズムでは、「声をあげる」前に、常に「ジェンダー」という切り口から社会や文化、表現や態度、政治や歴史、日常の不都合を見つめ、そこに潜む性差別を発見してきました。これは自分が下位・周縁に位置付けられていることを発見・確認することであり、社会の構造を「読み解くこと」です。声をあげることが「動的な」フェミニズムの実践であるとするならば、いわばこちらは「静的な」フェミニズムの実践と言えるでしょう。これを、アートに対して実践し、ジェンダーの視点で作品を「読み解く」のが、フェミニズム美術批評やフェミニズム美術史です。

ちなみにお気づきかもしれませんが、第1章では、アートは「見る」ものではなく美術批評などによって「読む」ものと述べました。本書がフェミニズムを使って「読み解く」ことを強調するのは、批評がアートを見るのではなく「読む」ためのメガネであり、そこにフェミニズムが組み合わされることで、ジェンダーという視点によって、不公平や抑圧を「解く」ためのツールになるからです。

「批判的に考える勇気」

２０１７年に、#Me Too運動（自らの性差別や性被害の経験を「#Me Too」のハッシュタグをつけて告発するムーブメント）が盛り上がって以来、フェミニズムの運動では「声をあげること」が、より求められるようになっています。ＳＮＳが発達し、誰でも意見を表明できるようになったことは、この新しいフェミニズムの運動の大きな後押しになりました。

でも本書では、どちらかというと「声をあげる」よりも「読み解く」ためのツールとしてのフェミニズムのあり方のほうを重視しています。それはなぜなのか、ここでお話ししておきます。

まず、言うまでもなく、#Me Too 運動には大きな功績があります。これをきっかけに、さまざまな業界において暗黙の了解とされていた性差別や性暴力が白日のもとに晒《さら》され、業界の悪いしきたりが見直され、なかには法廷で裁かれる人も出ました。この運動自体がさらに別の誰かに告発する勇気を与え、「ジェンダー平等」に関する議論や関心も高まりました。ただ、一方で、「声をあげる」ことを重視するあまり、一部の「フェミニスト」の間では、すべての男性や、あるいは声をあげない（あげられない）、あるいは性差別の経験がない（と感じている）女性に対する敵対的な意識が生まれてしまっているのです。

でも、声をあげるだけがフェミニズムであるとするならば、やはりそれは、それぞれに悩みを抱えながら、さまざまな事情を抱えながら、なんとか折り合いをつけて暮らしている、積極的な行動に参加できる状態にない人々をとりこぼしてしまいます。あるいは、これまで「ジェンダー」や「フェミニズム」に触れることなく「うちの事情」として性に基づく不平等や不公平を飲み込んできてしまっていた人もいるかもしれないし、性別や人種など、それぞれの立場や環境によって、声をあげることができない人もいます。

とはいえ、「今すぐ声をあげないと命があぶない」あるいは「わたしが声をあげないとあぶない」となったときには、気がついたその当事者である人が自ら声をあげる必要は当然あります。例えば、わたしひとりだけにあるなんらかの属性について、差別や暴力が生じる社会があるとすれば、その中ではわたしだけが被差別の当事者になりますから、わたしが「差別と暴力があり、被害にあっている」ということを言わなければ、自分の命を守ることはできません。このように、暴力や差別を告発することは、命を守ることでもあります。

　でも、本書では、声をあげることをフェミニズムへの参加の条件にするのではなく、まずは、フェミニズムを今より「みんなのもの」に近づけることを目標にしています。アートやこの社会を「読み解く」ための気軽なツールとして、フェミニズムをまずは使ってみてほしいのです。なぜなら幸いなことに、フェミニズムにはすでに声をあげている先輩たちがいて、決してひとりきりではないからです。

　ちなみに、フェミニズム美術史の研究者であるグリゼルダ・ポロック（Griselda Pollock 1949-）も、『美術手帖２０２１年８月号』のインタビュー内で、このように発言しています。

> これを読むあなたのような人が、メディアや教育を通じて、学生たちに伝えるべき遺産を手渡していくのです。フェミニストというレッテルを貼るのではなく、批判的に考

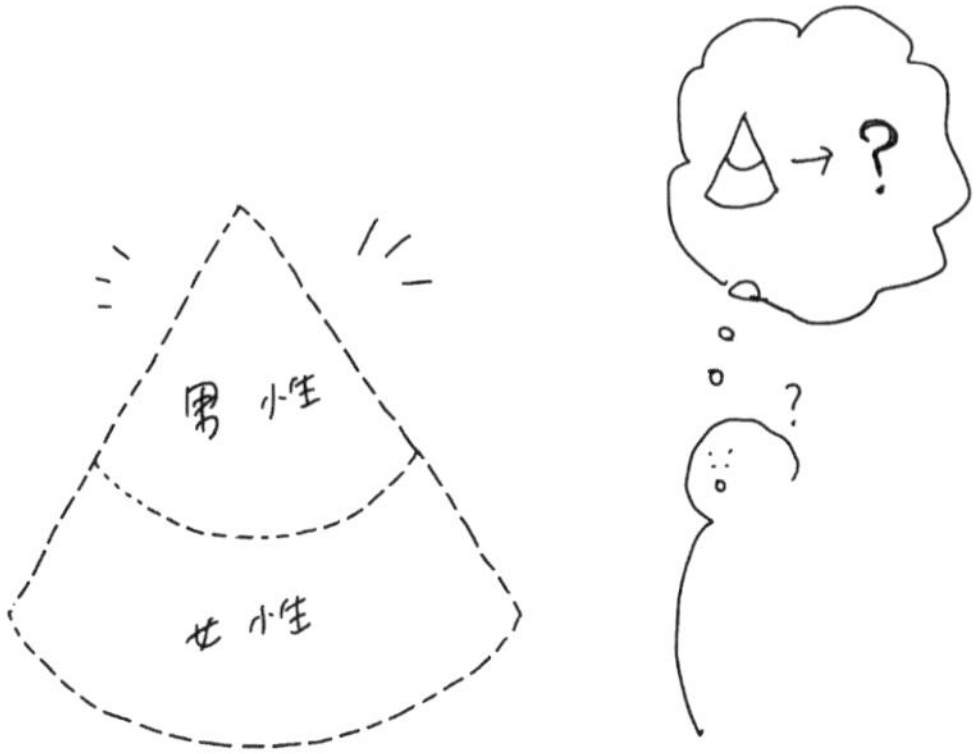

える勇気を与えるのです。

注目したいのは、グリゼルダ・ポロックが、「批判的に考える勇気」を強調している点です。彼女が述べているのは、フェミニズムとは、その言葉が真っ先に想起させるような最前線の行動だけがすべてではなく、あるいは、「フェミニスト」と名乗ることでもなく、まずは「批判的に考える勇気」を持つことなのだ、ということです。

アートにおけるツールとしてのフェミニズムは、まさしくこのように、個々のアート作品やアートワールドのしきたりを「批判的に考える」ことによって、ただ見るのではなく、はたまた、何の気なしに「読む」だけでもなく、「読む」ことで「解く」ものです。

「批判的に考える勇気」とは、この社会でもはや前提となってしまっているような差別的な社会の構造に疑いを持つための勇気です。それが、まずは自分、そして、自分の身の回りの抑圧されている人びとを差別や思い込みからの解放へと導く第一歩となります。そう考えると、「批判的に考える勇気」は、それがフェミニズムでなくても重要ですし、アート以外の場所でも、自分をより自由にするための勇気だとも言えるのではないでしょうか。

「社会化」とは

フェミニズムやその他のあらゆる運動を通じて差別からの解放を実現しようとするときには、差別について批判的に考える仲間を増やすことが必要ですが、特にフェミニズムの場合は、「男性に反対する運動ではない」ことを示すことが大切です。ベル・フックスも、差別を行う「男性」よりも、「個人」を差別的な思考に誘導する「社会」のほうに問題の原因を見ています。

わたしたちはみな、女であれ男であれ、生まれてからずっと性差別的な考えや行動を受け入れるよう社会化されている、ということだ。その結果として、女性も、男性と同じように性差別的でありうる。

「女性であっても性差別的である」というのは、自らが女性であるがために「抑圧されてきた」ことを知っている女性にとっては耳が痛い話ですが、とても重要な指摘です。なにしろ、自分に対する抑圧に自ら加担していたということなのですから。

ではなぜ、自分に対する抑圧にうっかり加担してしまうなんていうことが起こるのでしょうか。その理由としてフックスがあげているのが「社会化」です。この「社会化」という言葉は人によっては聞き慣れない言葉かもしれません。

社会化という言葉は、「しつけ」に少し似ています。通常の「しつけ」は規律や礼儀、作法など、時と場に合った振る舞いができるように教えることであり、親が子に、あるいは教師が生徒などに対して行います。

他方で「社会化」は、誰が「しつけ」ているのかわからないのに「しつけ」られているという状態です。現状の社会を滞りなく、粛々と、円滑に運営していくために「社会」にフィットした人間を作る。この、「誰からかわからないけれど社会のためになんとなくしつけられている」状態を「社会にしつけられている」と考え、「社会化」と呼びます。そもそも社会と個人の関係は、「にわとり・たまご」的なもので、どちらが原因でどちらが結果なのかはわかりにくいものですが、個人の考え方には、強弱や濃淡はあれど社会からの「しつけ」が働いていています。

例えば、障害者を差別する気持ちや、被差別部落出身者の人に対して語られてきた「穢《けが》れ」という考え、ＬＧＢＴＱ＋の人々に対する警戒心などは、当然、生まれながらに備わっているのではなく、社会からの影響によって個人のなかに作られます。あるいは、リー・クラズナーが、人前で「ジャクソン・ポロックの恋人／妻」として振る舞い、自分のキャリアを犠牲にしたのも、社会に染み付いた性別役割を彼女自身が内面化していたがゆえだったかもしれません。それに対してフェミニズムは、このような社会からの、性別にまつわるしつけを批判的に考えることによって、「社会化」から自分を解放し、社会を変革するための実践なのです。

小林耕平――《殺・人・兵・器／左右の仲を裂く・前後の中を取り持つ兵器》

ちなみに、アートを見ることも「社会化」された自分を発見し、それを解くことに役立ちます。

例えば、小林耕平（1974-）の《殺・人・兵・器／左右の仲を裂く・前後の中を取り持つ兵器》（２０１２）（図２-２、次ページ）は、ジェンダーに限らずわたしたちがさまざまなかたちで社会からしつけられていることを自覚させてくれる作品です。

この作品は、普段慣れ親しんだ日用品などを組み合わせて作られた複数のオブジェ（「……する兵器」という名前がつけられている）と、その「兵器」についてアーティストが説明するビデオで構成されています。

そのオブジェとは、例えば、長靴を前後に配置して、取っ手のついた木材に履かせる「左右の仲を裂く・前後の中を取り持つ兵器」や、ピンポン玉が十字に貼り付けられた小型のトランポリンと掃除機から成る「身体の機能を移動させる兵器」、段ボールを２本のフラフープが貫いている「対という感覚を無効にする兵器」といったもの。

図2-2　小林耕平《殺・人・兵・器／左右の仲を裂く・前後の中を取り持つ兵器》2012年

本作ではこのように、いくつかの日用品を組み合わせたり、普段とは異なる「存在のさせ方」をしたりして、用途のよくわからない「兵器」と読んでいます。作品の一部を成すビデオでは、その「兵器」たちについて、アーティストの小林自身が説明します。説明する小林は、わたしたちが知っているような日用品の「用途」を知らないかのように「これはこういう兵器です」と次から次へオブジェについて説明していくので、これにはちょっとした恐ろしささえ感じるほどです。

例えば、本作を構成する「左右の仲を裂く・前後の中を取り持つ兵器」と名付けられた長靴（のオブジェ）を見てみましょう。これは、左右ではなく前後で対になるように固定されていて、それまでわたしたちが当たり前に考えていた「左右」を対とする「靴」という存在の仕方を否定するものと言えます。それを示す「左右の仲を裂く」というタイトルを読み解けば、そもそも「左右」というものが、社会における「お約束」の最たるものであり、左なしでは右が存在しないし、人が複数人円になって集まれば実際には全員が全く別の方向を「右」と指し示す、社会化された概念であるということも思い起こさせます。

でも、わたしたちは日常のなかでは、いちいち立ち止まって「どうしてこっちが右なんだろう」とか「これって何に使うものだっけ?」「なんでこのかたちなんだろう」などと考えないで済むようにしつけられています。日用品の使い方や、あるいは「左右」の観念はかなり強固ですから、これにツッコミを入れようものならとても面倒くさい人になってしまいます。大抵は無視されてしまうでしょう。ですから、社会化された大人の多くはこれについては疑問を持たないようにしています。

そのなかで、本作は「通常の用途」から切り離されたオブジェと、「兵器」としての日用品のあり方を信じる人（アーティスト）を映したビデオによって、わたしたちに施された「社会化」自体を攻撃します。実際、この「兵器」がアーティストが言うところの兵器として本気で受け入れられたら、わたしたちはみんな社会生活をどうやって送ればいいのかわからなくなってしまうでしょう。つまり、本作は強力な敵（たる社会化された意識）に「兵器」と言っていいほどの破壊力をもって挑んでいるわけです。

　このような鑑賞体験は、社会からの「しつけ」を、作品をきっかけにして発見し、「社会化」から解放される意識を自分のなかに育てる実践になります。

　この点で、アートを読むことは、フェミニズムが性別にまつわる社会からの「しつけ」を批判的に考える視点を共有し、わたしたちに施された「社会化」をほどくのと似ていると言っていいでしょう。

アートワールドに根づく、アートワールドの社会化

　そうなると、「ツール」としてのフェミニズムとアートは、どちらも「社会化をほどく」効能があるという点で共通しているということになります。であるならば、フェミニズムを通じてアートを考える必要性はどこにあるのでしょうか。

　実は、アートワールドの住人のなかには、常識や普通を疑う力をアートから養い、それを日常に取り入れることができるのにもかかわらず、ことにアートワールドの「しきたり」については、疑う気持ちを忘れてしまいがちな人が少なくありません。「あのアーティストは

一流だ」「あの作品は高額だ」「あの人がいいと言っていたからいい作家に違いない」、そして「あのアーティストの作品ならどんなものでも価値がある」、さらにはここに、言葉に出されないまでも「男性作家のほうが優秀だ」という観念がそれとなく付け加えられることもあります。

　これぞ、第1章で指摘したアートワールドの権威主義にとらわれている状態であり、まさにアートワールドの抱えている問題です。アートワールドにもアートワールドの「社会化」があります。アートのことを学んだり知っていったりしていくうちに、一度確立された権威の構造を、不動のものとして内面化し、アートワールドの論理にしつけられてしまう。これに抗うのは難しいことです。

　アートの知識をつけ、その論理に適合できるように社会化されると、普段は反差別だったり、反権威主義だったり、反男性至上主義だったりするのに、アートの話題では男性至上主義や権威主義に疑問を感じなくなったりと、差別をおおめに見てしまうことは少なくありません。

　このように、なんとなく差別をおおめに見てしまったひとりひとりの態度や、ひとつひとつの価値判断と意思決定の積み重ねが男性至上主義や権威主義というとても強い癖を作ってきました。その結果として、次の章で指摘するようなアートワールドにおける性差別は温存され、現在まで続いてきています。

ベル・フックスは、フェミニズム理論家であるだけでなく、美術批評家でもあり、アートに関することも多く書いています。彼女は、差別をおおめに見てしまうアートワールドの住人たちを次のように批判しています。

> 皮肉なことに、強制的ヒエラルキー存続に手を貸している人々にかぎって、自分たちだけが芸術の自由を高く評価していると思っている。芸術の自由を本当に大事にするのであれば、多様な芸術実践、観点、アイデンティティ、そして立ち位置が育成され、支持され、肯定され、注目されるような美学文化を創造し、維持する努力をしなければならない。

フックスが言うところの「強制的ヒエラルキー」とは、ここまで円錐型の図で示してきたような、上位・中心と下位・周縁に人々を強制的に振り分ける社会構造のことです。

日本のアートワールドにも、「低級な人々にはわかりっこない」とたかを括って、アートを高級なクラスに属する「自分たちだけのもの」とみなしながら「芸術の自由」を信じている人が一部にいます。また「強制的」な差別的構造を反映したものであるのに、アート（ワールド）について疑いなく「自由ですばらしいものだ」と妄信する人もいます。

ですから、本当の意味で、アートで養った常識や普通を「疑う力」を活かすならば、これをアートワールドに対しても使っていくべきでしょう。ややもすれば、せっかく身につけた「知識」を否定する力にもなり得ますから、なかなか勇気がいることかもしれませんが、そのために、「批判的に考える勇気」が必要です。

ちなみに近年よく聞かれる「アート思考」は、「自分だけの視点で物事を見て、自分なりの答えを作り出す考え方」だとか、「既成概念や固定観念を打破し、自分の思考や感情から新たな課題を見つけていくクリエイターやアーティストが実践している思考法」などと言われ、ビジネスマンの間で注目されています。

でも実際には、「自分だけの視点」でアート作品を読み解いたり、あるいは、新たに作品を生み出したりするのには限界があります。加えて、アートの知識をつければつけるほど、既成概念や固定観念でがんじがらめになっていってしまう部分も少なからずあります。既成概念や固定観念を疑う力を養うつもりだったのに、単に新しいアートワールドの権威主義をルールとして身につけてしまっただけだった……というのは、「アート思考」の危険な落とし穴かもしれません。

知識、そして疑う力

ベル・フックスはこうも述べています。

ナショナリズムが強大化し、異質なものに対する嫌悪感がふくれあがっているこの社会の中で、階級・人種・性的志向・ジェンダー・年齢、等々の境界を越える出会いは、ますます起こりにくくなっている。そのような出会いが組織によって設定され予算を提供されれば、意義ある出会いと交歓をより容易にするだけでなく、芸術家であるということは単に創造する才能を所有しているという問題ではない、というメッセージが広められるだろう。芸術実践において真に成熟するためには、芸術について学び、芸術をありとあらゆる場所から、そしてあらゆる人の目から見、修行し、他の人々と影響し合うことが重要だ。

このテキストが書かれたのは１９９５年ですが、今日の話かと思うほど、いまの時勢を的確にあらわしています。フックスは、具体的に助成金等の予算の話もしています。アートが本当に多様であるためには、確かにお金も必要です。人々の興味が集まらないところにはお金もなかなか集まりませんから、アートが多くの人を惹きつけ、そして、包摂するものでなければ存続は難しくなるでしょう。

アートワールドの男性至上主義を指摘した最も重要なフェミニズム美術史／フェミニズム美術批評のテキストのひとつである、リンダ・ノックリン（Linda Nochlin 1931- 2017）の「なぜ偉大な女性芸術家はいなかったのか」は、そのさらに前、１９７１年に書かれました。

ノックリンは、偉大な女性芸術家がいないことの理由として、美術教育の機会の不均衡、芸術が「自由で自律的な活動」ではなく、差別的な「社会制度」や「社会状況」を反映したものであることを指摘しています。草間彌生やルイーズ・ブルジョワ、ジェニー・サヴィルなど、偉大な芸術家に位置付けられる女性アーティストはかつてよりは増えていると言っていいでしょう。しかし、「表現の現場調査団」の調査が示していたように、機会の不均衡や差別的な社会構造は50年経っても温存されたまま。これは、「仕方ない」といった社会化された考え、あるいはそのことに気づかない感性、つまり差別を内蔵したままの知識に駆動された結果です。

もちろん、アートを読むためには、美術批評や美術史などの知識は不可欠です。でも、知識だけではうっかり権威主義的なアートワールドに「社会化」されてしまうことがあります。そこで本書では、知識と疑う力との両輪で、アートを前進させることを提案します。片側にしかタイヤのない車を想像してください。同じ場所をぐるぐると回ってしまって、前に進んでいるつもりでも、車自体が持つポテンシャルを全く活かせずその場で堂々めぐりになってしまいますよね。アートはこのようにしてぐるぐると同じところを回り続けていたのではないでしょうか。

さて、ここまで、フェミニズムがどういうものなのか、なぜアートとフェミニズムをあわせて考えるのか、ということについてお話ししてきました。次の章では、ようやくフェミニズムというツールを使ってアート作品やアートワールドのことを読み解きます。

フェミニズムをツールとしてアートを読み解くことで、アートについての知識を深めるだけでなく、実際に使いながらフェミニズムがどんなツールなのかを理解していくことができるはずです。そして、このツールの使い方を知ることは、アートを鑑賞するだけでなく、社会的な思い込みや、あなた自身が置かれた状況を読み解くことを可能にし、自分を解放するためにも役に立つはずです。

第3章

アートをフェミニズムで読み解く

SNSでプチ炎上した有名企業のアートコラボ

2021年2月、ユニクロが発表したTシャツのコレクションが、SNS上でプチ炎上しました。

批判を浴びたのは、ユニクロがパリ・ルーヴル美術館とコラボレーションし、モナ・リザやミロのヴィーナスといったルーヴル美術館収蔵の有名作品をデザインに使用したシリーズです。ウィメンズ・コレクションのテーマは「ブロッサムオブダイバーシティ」。アート作品に花をあしらい、タイポグラフィー（文字）と組み合わせたオリジナルのデザインです。一方のメンズのテーマは「アートアンドロジック」。こちらは、作品に幾何学模様が組み合わされたもので、ウィメンズ・コレクションの紹介テキストにはこのように書かれていました。

パリにあるルーヴル美術館の収蔵品コレクションより、多様性溢れる魅力的な女性たちをモチーフとした作品を厳選。巨匠たちによるファインアートを再解釈し〝美〟をより引き立てたスタイリッシュなデザインに生まれ変わらせました。

一見、特段当たり障りのないように感じられるただの商品紹介ですが、これに対して当時のTwitterでは、おおむねこのような批判的なつぶやきが見られました。

「白人男性が描いた白人女性の絵画ばっかり」「男性が理想化した女性像でしかない」「多様性の意味、知ってます？」「女性向けは花で、男性向けは幾何学模様とロジックってステレオタイプすぎ」「女性をモチーフにした作品の多くが性差別を背景に描かれてきたし、作者は特権的な立場にある男性芸術家だし、彼らが描くのは画一化された理想の枠を出ない女性像なわけで、女性と多様性っていうテーマに全然合ってないんですけど！」。

このように怒っている人を見ると、逆に「どうして、こんなことに怒るんだろう？」と疑問に思う人もいるかもしれませんが、実は、これらのつぶやきは、フェミニズムというツールを使ったアートの読み解きを下敷きにしています。

しかし、こうした批判をものともせず、この服自体は即完売になるほどの人気ぶり。むしろ、「またフェミニストが怒ってるよ」と、フェミニストに呆れて揶揄《やゆ》するようなつぶやきも目にしました。

このように、アートも、フェミニズムも、そしてアートにおけるフェミニズムも、まだまだ「みんなのもの」には程遠いのが実態です。国内最強・最大手の衣料品量販店が美術館とのコラボレーションプロジェクトの際に、フェミニズム的な批判に先回りし、配慮することができるほどには、アートにおけるフェミニズムの視点は普及していないのです。

ですから、本書ではここから、この炎上で指摘されているようなことが「なぜ批判されるべきなのか」ということについてお話ししていきます。

「よそ者化」――ツールとしてのフェミニズムその①

さて、ここまで、アートを読み解くために「ツールとしてのフェミニズム」を使いますよ、という話をしてきましたが、このツールには、いくつかの使い方とさまざまな機能があります。実はフェミニズムは単一のツールというよりも「ツールボックス」に近いのです。フェミニズムという「ツールボックス」に入っているのは、フェミニズムが発見した、社会的な問題の背後にある構造や力をあぶり出すキーワードです。

ひとつめのツールは「**よそ者化**（**othering**）」です。

そもそも、人間の文明社会では、その構成員となるひとりひとりを、ある属性に基づいて「わたしたち（us）」と「わたしたち以外（them）」に分けることがよくあります。

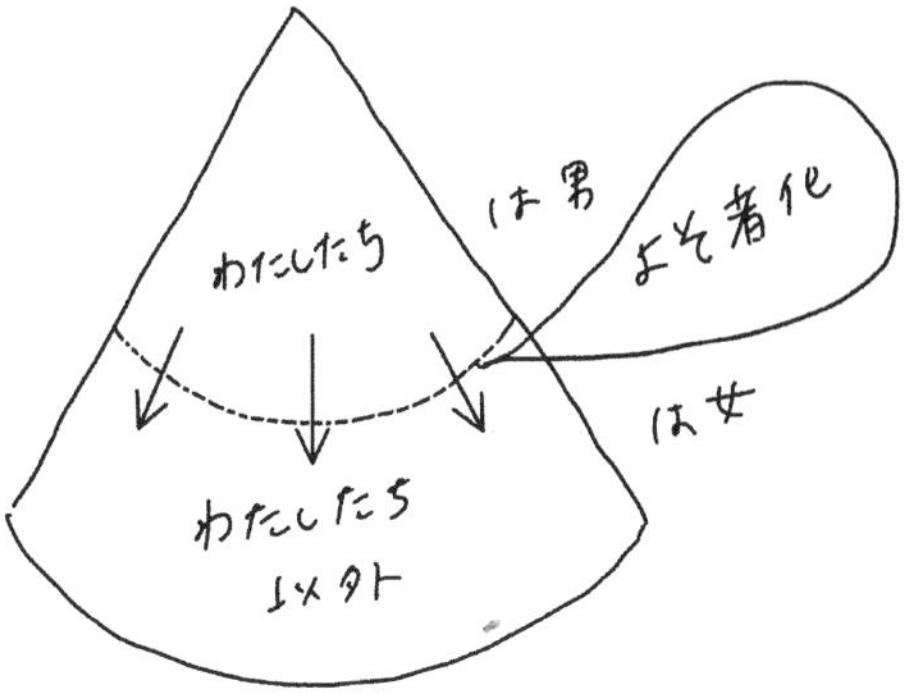

例えば「国」や「家族」などの共同体は、「わたしたち（うち）／わたしたち以外（よそ）」という境界線によって成立しているものの一例です。「よそはよそ、うちはうち！」と言って、家庭（うち）のルールを強調することがあるように、この言葉は（架空の）境界線を強くはっきりと引く効果があります。

同じような方法で、境界線のこちらとあちらに、「わたしたち・男」／「わたしたち以外・女」というようにジェンダーを割り振る「線引き」の作用や行為を、フェミニズム批評では「他者化」や「他人化」「よそ者化」と呼びます（本書では「よそ者化」で統一します）。その「よそ者化」とアートにどのような関係があるのかというと、実はアートはこの「わたしたち（うち）／わたしたち以外（よそ）」という想像上の境界線を可視化するという機能を担い、差別的な構造の強化に加担した歴史があります。

「怪物」は女性と結びつけられてきた

この「よそ者化」があらわれているのが、アート作品における「怪物」の表現です。「よそ者化」は、第2章で述べたような属性によって「中心」に対して「周縁」、そして「上位」に対して「下位」を作り出す力です。実は、アートが自ら担ってしまった「よそ者化」の役割を反省しはじめたのはつい最近のことで、近代（19世紀の後半）までのアートにはそのような表現がよく見られます。というのも、古代から近代までのアートでは、女性を下位かつ周縁のものとみなす価値観で作られた神話や聖書を視覚化したアート作品が多いからです。そこに登場する「怪物」はつねづね女性と結びつけられてきました。

例えば、女性の頭と乳房を持ちそれ以外の部分が鳥の怪物ハーピー（ハルピュイア）や、上半身は女性で下半身が鳥や魚として描かれるセイレーン、女性の頭と乳房に、獅子の身体を持つスフィンクス、そして、目が合った人を石にすることで有名なメデューサは、頭髪が蛇、歯は猪、大きな黄金の翼と醜怪な顔を持つとされています。

このように、神話に登場する「半人半獣」の怪物は、その多くが、女性の性を割り当てられています。

「半女半獣」の怪物は、「人と（野蛮な）自然をひとつの体に併せ持った怪物という存在ならば、その性別は『女』であることがふさわしい」という考えによって作られた「架空の生き物」。つまり、女の怪物は、ジェンダーの図式において下位で周縁に位置付けられる「女」と、「文明」に対して、下位かつ周縁に位置付けられる「自然」を併せ持つものとして表現されました。

ちなみに、「半人半獣」でよく思い出される怪物には、男性の下半身の部分に馬の四肢を持つケンタウロスがいます。このように、常に女性だけが半人半獣にさせられてきたというわけではないのですが、怪物の表象に男性よりも女性のほうが多いことは、若桑みどり『イメージの歴史』（筑摩書房）や『イメージの解読　怪物』（河出書房新社）など、多くの論考で指摘されています。

そのうえで注目してほしいのは、女性という性を割り当てられた怪物の「性格」や「特徴」がどのように表現されてきたのか、ジェンダーと結びついたのはどんなキャラクターだったのか、ということです。

　例えば、男の性を与えられたケンタウロスの場合、「酒と女が好きな粗暴な種族」でありながら、なかには賢者もいて、ギリシャ神話における英雄たちの教育を任されたと言われています。

　一方、女の性を割り当てられた怪物であるハーピーは、まずその名前が「かすめる女」の意味を持ちます。飢えて青ざめた顔をし、触れるものすべてを汚し、食物を食い散らかして排泄物で汚す「死の精」とされています（ひどい）。１８００年代に画家やイラストレーターとして活躍したポール・ギュスターヴ・ドレ（Paul Gustave Doré 1832-1883）のイラストはまさに、そのような「卑しい」存在としてハーピーを描いています（図３‐１）。

図3-1　ポール・ギュスターヴ・ドレ《ハーピース》1861年

　また、女性と魚を組み合わせた怪物（人魚）セイレーンは、人間の死体の骨の堆積によってできた島で、美しく悲しい歌で聴くものを魅了して船の外（海の中）に誘い、船乗りを死に至らせると言われました。ちなみにセイレーンたちは、もともとは美しい乙女で「愛の歓びを軽視した罰」としてこの姿になったという経緯があるそうです。
ハーバート・ジェームズ・ドレイパー（Herbert James Draper 1864-1920）は、オデュッセウス（ユリシーズ）が、セイレーンの誘惑に負けずに彼女たちの歌を聴きたいと思って部下たちに自らをマストに縛りつけさせた神話の1シーンを描いています（図3-2）。

図3-2　ハーバート・ジェームズ・ドレイパー《ユリシーズとセイレーンたち》1909年

ここでは先ほどのハーピーとは打って変わって、セイレーンは過剰にエロティックな人魚（船に乗り込んだ人魚は人間に変身している）として描かれています。ちなみに、彼女たちの歌の誘惑を振り切ることができた船乗りが現れると、セイレーンは死ぬことになっています。

また、獅子の身体と女性の頭部を組み合わせたスフィンクスは、通行人になぞなぞを出題し、解くことができなかった人を岩から投げ落とすか、あるいは食い尽くす怪物と言われています。ちなみにこのなぞなぞを解くことができた者が現れると、恥ずかしさのあまり自分の方が身を投げるのだそうです。

　メデューサは、もともと特に頭髪に自信を持っていた美少女で、知恵や戦いを司る処女の女神アテーナー（アテネ）と美しさを競うほどでしたが、そのアテーナーの神殿で海の神ポセイドンと交わった（レイプされた）ということで、激昂したアテーナーによってチャームポイントだった頭髪が蛇にされ、おまけに顔まで醜い怪物にされてしまったという経緯があります。ちなみにその後、怪物メデューサは、英雄ペルセウスによって首を切られることになるので、かなり散々な目に遭っている実はかわいそうなキャラクターです。そんな悲惨で不遇な物語を、「わたしたち女性の物語だ」として、いまではメデューサをフェミニストのグループがシンボルにする動きもあります。

　このように女の性を持つ半人半獣の怪物のキャラクター設定には、なんとなく共通するところがあるように思えます。彼女たち怪物は、元美少女や美女であり、「誘惑する罪深い存在」とか「制御の効かない横暴さを持つ存在」、そして、それらを理由にして「厳しい罰を受けて当然の卑しい存在」のように語られ、描かれてきました。

　同じ怪物であるケンタウロスも粗暴なところがあるにせよ、自死に追い込まれるのではなく、人のために身を挺《てい》して戦うなど、「やんちゃだけどやる時はやるいい奴」のようにキャラクター描写されています。ですから、女の性を持つ怪物たちの徹底した悪役キャラ設定とは大きな違いがあるのです。

ちなみに、ギリシャ神話の女神たちも多くはわがままで凶暴で、嫉妬深く描かれています。そのなかでもギリシャの首都アテネの由来となった「処女神」アテーナーは、少し特別な存在です。アテーナーは戦術にも長《た》けており、（メデューサのような怪物から）男性を守護する「男性側の女神」を自称しています。女性であることと、男性側であることを両立しているためにアテナイ市を守護する母神／処女神として崇拝されたのです。

他方、豊穣の女神であるデメテルや狩猟や山などを司る女神アルテミスなどには、あくまでただの女の神として、男性を中心とした文明社会の外である自然が重ね合わされています。また暖炉の女神であるヘスティアは、すべての家の中心に鎮座する神であることから、暖炉がある場所から動けないというキャラ設定がなされていたりもします。

アートにあらわれる「線引きしたい」という欲求

このように、卑しい怪物だけでなく、「自然」や「家庭」に女の性を割り当てる言説や物語、それを視覚化したアートは、「ジェンダー・ステレオタイプ」、つまり、ジェンダー（性）に基づく【らしさ・こうであろう・こうであるべき】の可視化にほかなりません。

一般的に「ジェンダー・ステレオタイプ」と言えば、「女性は子供を産むべきだ」「男性なんだから身体を鍛えて強くなれ」といった生物学的なものから、「女の子はピンクが好き」「男の子は戦隊モノが好き」といった社会的な思い込みまであります。

でも、もちろん現実には、一見して、ある人が男性なのか女性なのかわからないことなんてよくあるし、ピンクが好きな男の子や戦隊モノが好きな女の子、そして子供を産まない女性も、強さに憧れない男性もいるわけです。

第2章で示した円錐の図では視覚的に差別の構造を示しているので、上位・中心クラスと下位・周縁クラスの間に線を引いていますが、でも、現実の世界の男と女の間には、はっきりと目に見えるような線が引かれていることはありません。本当は、性はグラデーション的なものであり、生物学的なものであれ、社会的なものであれ、性に基づく【らしさ・こうであろう・こうであるべき】という考え方で境界線を引いて、単に二分することはできないのです。

しかし、そうした現実に存在している多様性よりも、性に基づく【らしさ・こうであろ

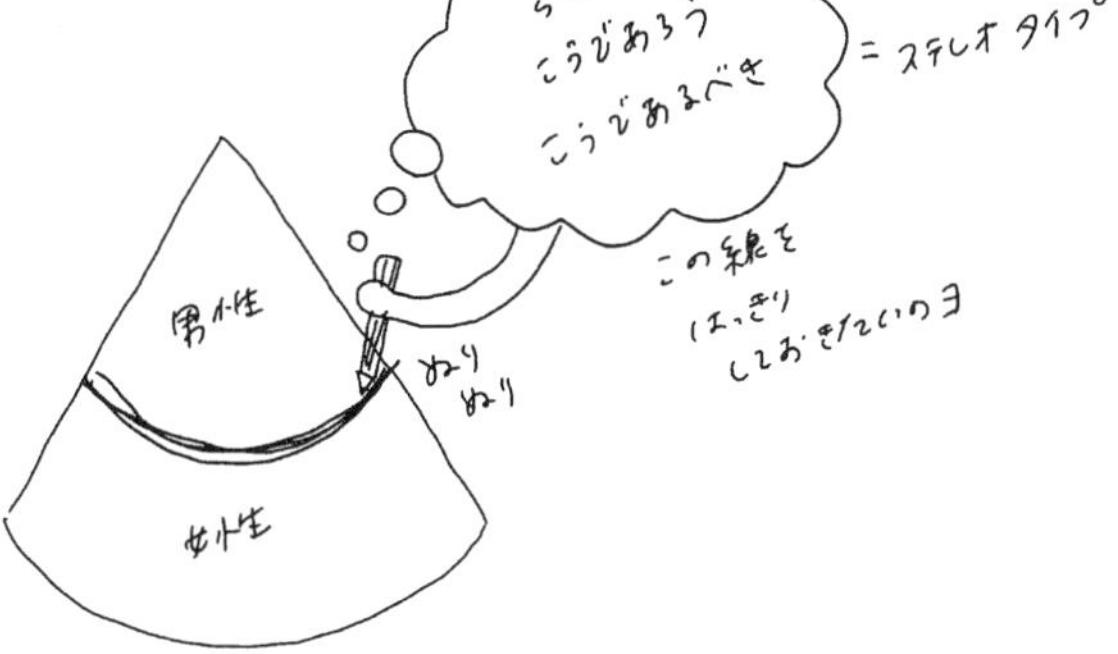

う・こうであるべき】という観念のほうを優先し、それを理由に「わたしたち・男性」と「わたしたち以外・女性」には線引きが行われてきました。

アートのなかには、このように「上位・中心」クラスと、「下位・周縁」クラスの存在を、なるべく混ざらないようにしたい、「線引き」しておきたいという欲求が現れているものが、実は少なくないのです。

「加害する妖怪」＝「女性」

人間以外のものと女性を結びつける傾向は西洋だけではなく、日本のアートでも見ることができます。「アート」と言うと少し変な感じがするかもしれませんが、日本の妖怪を描いた絵画には多彩な「女」の妖怪の姿が描かれています（図3-3、図3-4）。

大正十二年に書かれた妖怪についての本『日本妖怪変化史』（中央公論新社）は、妖怪を通じて風俗史を研究した江馬務（1884-1979）による著作です。江馬は、「妖怪が実在するかどうかは一旦問わないことにして、過去においてわたしたちの祖先がこれをどのように見たか、それを見てどのような態度を取ったのかを調査することが風俗史研究の一つの達成になる」と考え、妖怪たちに関する記述や描写を集めた展覧会を開くなどの活動をしていました。

では、その江馬の本の中から妖怪と女性がどのように結びつけられていたかについて書かれた箇所を、少し長いですが引用します。

> 妖怪変化の性とは、ここではその出現時の姿となった場合を指すのである。人の姿として出現したときにおいては、室町時代以前には男の姿が多い。が、応仁の乱後からは女の姿が多くなって、男の姿の約二倍半に及んでいる。（中略）これ、近世には愛恨のため出る幽霊が主として女であるからである。これ、女性が男性よりも執着心が深いからであろう。単に変化ばかりでない。妖怪においても近世は女性的なのが非常に多い。

（上）図3-3　北斎季親《ろくろ首》江戸時代
（下）図3-4　落合芳幾《雨女》1890年

「産女」などは以前からあるが、近世では「毛女郎」「雨女」「雷女」「骨女」「青女房」「濡女」「影女」「片輪車」「柳女」「高女」「屏風のぞき」などは女性である。加うるに、動植物、器物が化けても、たいてい近世は女に化けて出る。誑《たぶら》かすには、畢竟、女性が男子を籠絡《ろうらく》するに便利なゆえでもあろう。そしてその反対に男子が化けて女を籠絡した例はきわめて稀れである。

大正時代に書かれた文章なのでちょっと慣れない言葉遣いかもしれません。少し噛み砕きましょう。まず、妖怪《ようかい》変化《へんげ》は「妖怪と化けもの」という、2種類の怪物をまとめた言葉です。大まかに言うと、形状が安定しているのが妖怪で、変身するものを変化と分けることができます。これら妖怪と変化に関する記述や表現を性別ごとに見ていくと、応仁の乱以降、女の妖怪や変化は、男の性を割り当てられた妖怪変化のなんと2・5倍も多く、江馬はその理由として、「女性は男性よりも執着心が深いから」と考察しています。

江馬がこのように考察したのは、そもそも妖怪が「出る」目的が「愛恨のため」か、あるいは人を「誑かすため」であることから、そういうことをする存在は当然「女の性」を持っているだろう、という前提があるからです。「男子が化けて女を籠絡した例はきわめて稀れ」

と述べられているように、妖怪が出る場面を想定する時（そうした場面を創作するとき）には、基本的には男性を中心とする世界観によって「わたしたち・被害者」というまとまりが作られ、それに対して、「わたしたち以外・加害する妖怪」＝女という構造が作られています。「妖怪」を「創作されたファンタジー」だと断定するならば、「わたしたち」を驚かし、たぶらかし、陥れるよそ者（時に動物や器物にもなる）としての妖怪変化に、女の性が割り当てられて語られ描かれてきたことの背景には、創作者や語り手の男性中心主義、さらに言えば異性愛中心主義があります。

実際、妖怪をめぐって現れる「愛恨」や「執着心」を男性よりも女性のものと考えるような社会通念は、令和のいまでも存在しているように思います。

例えば、「どろどろした争い」と言えば「男の争い」というより「女の争い」のほうを想起する人が多いように、湿度や粘度が高い状態を何となく女と結びつける傾向も、【らしさ・こうであろう・こうであるべき】という観念のひとつの例です。

ちなみに、警察庁によって「異常な執着心」を特徴とすると明示されているストーカー事案に関して、令和3年度の統計を見てみると、加害者は80%が男性、女性は約12%と、実は男性の方が圧倒的に多いことが示されています。つまり、この統計から考えれば「女性＝執着心が深い」と断定することはできません。だからと言って、本書では男性をこそ「執着心が深い」とみなすべきだ、ということを主張したいわけでも、「異常な執着といえば男性だよね」という印象を形成したいのでもありません。言うまでもなく、大多数の男性はストーカー事案を起こしてはいないからです。

《原罪》で描かれた「諸悪の根源」

１４７０年頃に描かれたフーゴー・ファン・デル・グース（Hugo van der Goes 1440頃－1482）の絵画、通称《原罪》（図３－５）は、アダムとイヴがサタンである蛇にそそのかされて知恵の実を口にし、神を怒らせて「原罪」を負い楽園を追放されるという、聖書における有名なエピソードを描いたものです。

「楽園追放」をテーマにした作品は多数作られていますが、そのなかでもこの《原罪》は、人類全体が背負うことになるような大罪（＝「原罪」）を犯そうとするまさにその瞬間を描いたものです。

まず、画面の中央に配されたイヴを見てみましょう。彼女は知恵の実に手を伸ばしています。向かって左にいるアダムは「ちょっと、やめなよ」と言っているようにも見えなくはないですが、制止の声は届いていないようです。

まず、この《原罪》と名付けられた絵画の中心に配されたのがイヴである、というところに、知恵の実を先に食べ、そのうえアダムを誘惑し、「人類」に原罪を負わせたその張本人がイヴという「女」であることを強調する意図が読み取れます。

さらに注目したいのは、知恵の実を食べさせようとイヴをそそのかしたサタンの描かれ方です。毛の生えた人面トカゲのようなかなり不気味な見た目の怪物として描かれており、その顔を見ると、女性として描かれていることがわかります。この絵画の中でも、怪物と女性を融合させる「よそ者化」が行われています。

つまりこの絵では、先に知恵の実を手にし、アダムを誘惑したというイヴの罪と、そのイヴを誘惑したサタンの罪。この２つの罪を犯したのは女であ

図3-5
フーゴー・ファン・デル・グース
《原罪》1470年頃

る。ということで、女は「諸悪の根源」として描かれているのです。

「『よそ者化』に貢献していた」アートの役割

このように、アート作品のなかで、女性は怪物だけでなく、人間以外のもの、例えば、妖怪、魔女などといった空想上の生き物、あるいは「諸悪の根源」や未開、自然などといった概念の象徴、時には肉や器といった物質、そして女神や聖母などの役割を担わされてきました。

「そこそこ多様性あるじゃん」と思った方もいらっしゃるかもしれませんが、これらはすべて、この図式のなかでは下位・周縁クラスに位置付けられます。

こうした作品はアーティストたちが女を「よそ者化」してやるぞ！　と意気込んで、社会の「よそ者化」意識を高めるために描いたというよりは、当時、主流となっていた考え方を反映したにすぎません。その絵画が発端だ、というわけではないのです。

長い間、西洋のアートの世界では、神話や聖書などのシーンを描いた作品は、教会や貴族といった時の権力者からの依頼で作られたので、彼らが治める社会の規範を反映している必要がありました。ですから、その時代にすでに共有されていたジェンダーにまつわる理想や慣例をアーティストたちも内面化し、それを描いていたのです。

ですから彼らはそもそも「よそ者化」しようとしているのではなく、「よそ者だ」と考えていたのですらなく、言語化するまでもなく女性を下位で周縁のものだと感じていたはずです。せいぜい「よそ者化に貢献していた」というのがアートの役割だったと言えます。

では、アートによる「よそ者化」を促したのは、どのような社会通念だったのでしょう。

少し後の時代になりますが、名著『群衆心理』で知られる科学者のル・ボン（Charles-Marie Gustave Le Bon 1841- 1931）は、１８７９年にこんなことを言っています。

> 彼女たちは非常に気まぐれで無節操、思考と論理を欠き、推論能力がない。何人かの目立って優秀な女性が確かに存在し、平均的男性よりはずっとすぐれている。しかしこの女性たちは、例えば二つの頭を持ったゴリラのように何らかの奇形として誕生したのであり、例外にすぎない。したがって、我々は彼女たちを完全に無視してよい。

いくらゴリラが知的でたくましい動物だとしても、確かに怒りで頭が２つに割れそうなくらいの差別的発言です。

このル・ボンの発言には、女性を自分たちとは異なる「劣った」生物であるとして軽視し、そのなかで「例外的に」優れた人がいても「怪物」のようなものとみなして、「わたしたち・人間」の一部とは認めずに排除する考え方が表れています。

「万学の祖」アリストテレスにまで遡る

実はこのような、女性を「よそ者」であり、「劣って」いて、「無視していい」とする考え方は、ル・ボンがこのように述べるよりもずっとずっと前から語られてきていて、その歴史は紀元前の哲学者で「万学の祖」とも言われる、アリストテレス（前３８４年‐前３２２年）にまで遡ります。

> 男性と女性の関係について見ると、前者は自然によって優れたもので、後者は支配される者である。そして、このことはすべての人間においても同様でなければならない。

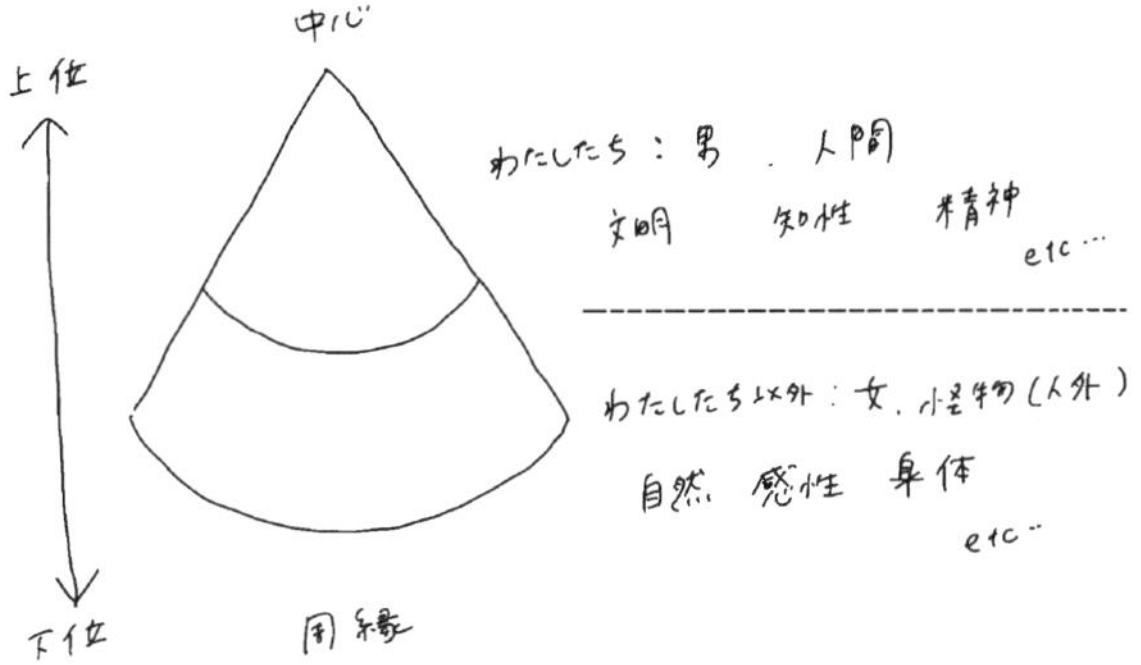

「すべての人間においても同様でなければならない」というところからは、アリストテレスがこの考えに確信を持っていることが読み取れます。彼の発言は「よそ者化」というよりは声高らかな女性蔑視ですが、このような考えが差別だという発想は当時はなかったのです。

アリストテレスは、現在で言えば論理学、物理学、生物学、動物学、天文学、形而上学、倫理学、美学、演劇、精神、心理学、言語学、経済学、政治学等々……に分類できるようなかなり広い領域の学問に通じて多くの著作を残し、17世紀頃までの世界の学問や研究の基礎、いわば常識を作った人でした。よって、そんなアリストテレスの考え方にならって、彼が持っていた差別的な考え方もまた「常識」となりました。

そうして、上位・中心クラスを「わたしたち・人間」、下位・周縁クラスを「あなたたち・人外（怪物）」とする構造はあらゆる領域で再生産され、そこに、「男／女」といった性や、「文明／自然」「知性／感性」なども振り分けられました。それが、さらにキリスト教などの宗教によって強化され、アートを含むさまざまなところに反映されてきたのです。

マグリット作品に見られるジェンダー観

加えてこの図に沿って割り振られるものに、「精神／肉体」があります。精神が上位・中心クラスで、肉体が下位・周縁クラスです。

この精神と肉体のクラス分けは、17世紀のフランスの哲学者デカルト以来の西洋の価値観に基づいています。デカルトが唱えた心身二元論では、精神や心と、身体を分けて考えます。ただ分けるだけでなく、デカルトの「我考えるゆえに我あり」という言葉の通り、「考えることができる」ということを人間らしさの要《かなめ》とみなす発想なので、「考える」機能がないとされた身体は精神や心よりも下位に置かれました。

このようにして、同じひとつの身体のなかに、そして、五感にまで優劣がつけられました。

身体において、「考える部門」が属する顔や頭より身体のほうが下位ですし、細かい動きができる手よりも地面についていて繊細な動きが苦手な足は下位とされます。味覚や嗅覚も、視覚に比べて人間の考える機能に深く関わらない（とされた）ので、低級な感覚だとみなされました。

　そのようなクラス分けを反映しているのが、日本でも人気の高いシュルレアリスムのアーティストであるルネ・マグリット（René Magritte, 1898-1967）のこの作品です（図3‐6）。

図3-6　ルネ・マグリット《陵辱》1934年

　ご覧のように、この絵はよくある人物画の構図ですが、顔の部分に女性の胴体が描かれています。シュルレアリスムの作品では、あるものを文脈から切り離して、別の文脈や場所に置き、違和感を生じさせる手法を「デペイズマン」と言いますが、本作ではまさにそのデペイズマンの手法がとられています。胴体を顔に当てはめることで、本当の顔にも見えるというところには面白みがあり、絵画的技量の高さと発想の転換がシュルレアリスムらしい作品です。

マグリットは先ほど述べたような精神と肉体の階級を前提にしていますから、この観点から言えば、この作品は、頭部・顔と身体の階級をシャッフルしてドッキングさせることで、大胆にもその不文律を破壊したとも言えます。ダダイズムやシュルレアリスムはこうした破壊力によって、彼ら自身を美術史のなかで重要なムーブメントにしたのです。

しかし、あくまで女性の胴体を女性の顔に当てはめたこの作品は、精神を上位で中心とし、身体を下位で周縁とする意識に先ほどの「円錐の図」の構造（男―上位・中心―精神、女―下位・周縁―肉体）を当てはめたにすぎない、と言うこともできるでしょう。

というのは、マグリットはこのシリーズを何度か描いていますが、その頭部や顔を「身体」になぞらえることを、決して男性の身体では行わずに、女性の頭部と身体を用いて行ったからです。

この絵を見ると、先ほど述べたようなシュルレアリスム的面白みを感じはしますが、同時に、女性という存在の「顔」＝中心とされる価値、魅力が、思考や知性ではなく、肉体（しかも性的なものとしての）にあるという考えをあえて露悪的に示しているようにも読み取れます。あるいは、知性のある人間としてではなく性的なよそ者として、女性にはその知性が求められていない、認められてすらいない、当時の社会の意識を反映しているかもしれません。「女性一般」の肖像として描かれたのか、あるいは、男性心理を揶揄して描かれたのかは定かではありませんが、『シュルレアリスム革命』という機関紙を出して偉大な革命を目指していた彼らも、ジェンダー観は前時代的なものを素直に踏襲していました。

ちなみにこの絵画には《陵辱（Rape）》（1934年）という名前がつけられています。これを踏まえると、この絵画は、首のように描かれた男根が顔（に似せた身体）を貫いているようにも、あるいは女性一般を晒し者にしているようにも見えてきます。

ちなみに、シュルレアリスムのアーティストたちのジェンダー観については、グザヴィエル・ゴーチエ『シュルレアリスムと性』（平凡社）という本に詳しく論じられていますので、興味があればぜひ手に取ってみてください。

ゴーギャン作品に見られる「植民地―野蛮―自然―未開―処女―女性」

「わたしたち」と「わたしたち以外」というクラス分けに基づく排除は、西洋を中心とした文明社会の形成に伴って、「人間」とか、「国民」というまとまりが作られる過程でも行われてきました。いわば、「わたしたち」を創造するということは、同時に「わたしたち以外」という存在を創造することでもあります。そして、「わたしたち」の結束を高め、威厳や自信を持つためには、その境界にはっきりと線を引き、消えないように繰り返し刻みつけ続ける必要があります。その「刻みつけ」にも、アートは一役買ってきました。

　ポール・ゴーギャン（Paul Gauguin 1848-1903）は、パリに生まれ、当時フランスの植民地であったタヒチに移住して創作を行ったことで知られています。それまで西洋の光景を描いてきた西洋出身の画家たちのなかでは、西洋以外の世界や人を描いたという意味で稀有な存在であり、植民地に新しい美を発見し、愛《め》でた画家として知られています。

　ゴーギャンはゴッホと同じ後期印象派に位置付けられる画家です。タヒチに行ってからの作品では、「印象派」と言って即座に思いつくような淡い色彩とは対照的な鮮やかな色や、ヨーロッパに暮らす白人とは異なる質感の皮膚と身体を持つタヒチの人々の描き方を発明し、これらが彼の作品を特徴づけました。

　パリに暮らしていた彼は、タヒチをユートピア的な場所と想像し、腐敗した文明から逃れて、「素朴な野蛮さ」を求めて渡航し、「神秘的」で「原始的」なタヒチの光景と、現地の人々に「特別な」思いを持って描いたのです。

ただし、「現地の人々」を描いたと言っても、ゴーギャンは女性ばかりを描き、男性の絵画はあまり多くありません。女性たちは裸で描かれている絵画も多いうえ、若い女性がほとんどです。どうして彼女たちが「若い」とわかるのかというと、ゴーギャンが好んでモデルとしていた女性たちは多くが13歳か14歳（！）だったことが彼の手記などに書かれていたからです。

絵画の世界を現実にするかのように、40代のゴーギャンはモデルとなった13歳の女の子と結婚し、妊娠させています。しかもこれは1回ではなく、パリでもモデルにした若い女性を妊娠させているほか、タヒチでは複数のいずれも10代の女性ばかりを妻や愛人にし、肉体関係を持ちました。

最初のタヒチへの渡航で、お金がなくなり、パリに帰ってきたゴーギャンは、パリでアジア系の少女（彼女も14歳）と

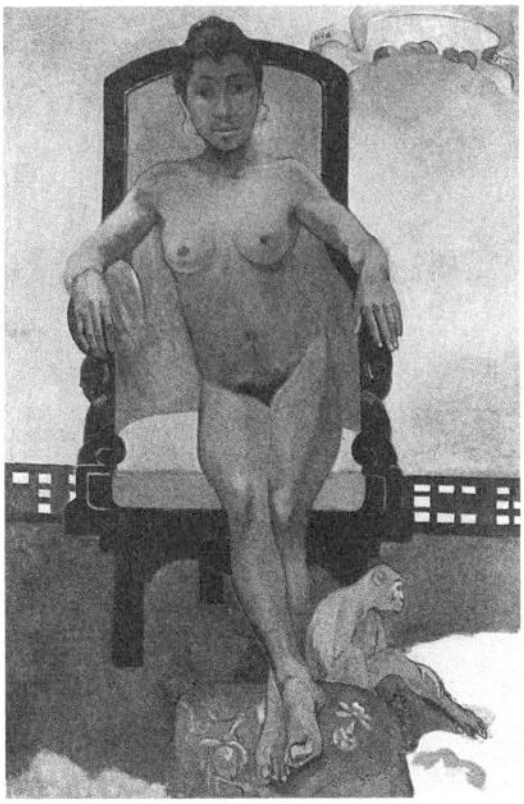

図3-7　ポール・ゴーギャン《アイタ・パラリ・テ・タマリ・ヴァヒネ・ジュディット》1893年

出会います。それが、通称「ジャワ女アンナ」と言われるこの絵のモデルとなったアンナです。本作には、《アイタ・パラリ・テ・タマリ・ヴァヒネ・ジュディット》（1893年）（図3-7、前ページ）という正式名称があり、これは実は「小娘ジュディットはまだ破られていない（汚されていない＝処女である）」という意味を持っています。

おそらく、ゴーギャンの頭のなかでは、植民地―野蛮―自然―未開―処女―女性が象徴的に結びついていたのでしょう。パリを離れ、未開の自然の豊かさを求めてタヒチに来たわけですが、彼自身がタヒチ語を十分に話せるようにはならなかったように、入植者であり文明人であり男性である彼は、植民地の女性をあくまで自分と同じ人間ではない「よそ者」として扱い、描きました。

彼は、19世紀のヨーロッパ文化に根づいていた植民地主義的な征服を、絵画的な実践としてだけでなく、実際に目の前に存在した女性に対しても行っていたのです。

日本の植民地主義と「アジアの女性」

そんなゴーギャンですが、彼の作風は世界に影響を与え、日本や、日本が植民地として統

（上）図3-8　土田麦僊《島の女》（右隻・左隻）1912年
（下）図3-9　ポール・ゴーギャン《我々はどこから来たのか 我々は何者か 我々はどこへ行くのか》1897-98年

治していた時代の朝鮮における絵画にもその影響が見られます。

　例えば、土田麦僊（1887-1936）の《島の女》（１９１２年）（図３-８）は屏風に描かれた日本画ですが、ゴーギャンの《我々はどこから来たのか 我々は何者か 我々はどこへ行くのか》（１８９７-９８年）（図３-９）を踏まえて見るとその構図や雰囲気に類似性が感じられます。

　タイトルにある「島」とは八丈島で、日本の本州を「中心」とした場合に「周縁」に位置付けられる「島」の光景を、いちじくの木（いちじくは、女性の象徴、とりわけ性器を象徴

図3-10　李仁星《秋の或る日》1934年

する果物）と、そして半裸で仕事をしたりくつろいだりする女たちに投影したのは偶然ではないでしょう。

当時、アジアで覇権を握ろうとしていた日本は、日本国内だけでなく植民地支配していた朝鮮、満州、台湾でも政府が望ましいと思う作品を選び、政府主導で美術展覧会を開きました。

この絵はその、朝鮮美術展覧会に文部省出品の「参考品」として展示された作品です。当時の日本政府は、植民地の人びとに植民地の絵を描かせるときにこの絵を参考とせよ、と示したというわけです。いわば、「周縁」を表現するならこのように表現すべし、というお手本となったのが、土田のこの絵でした。

その朝鮮美術展覧会の影響かどうかは定かではありませんが、韓国の画家である李仁星（Lee In-sung 1912-1950）の絵画にも、ゴーギャン的な特徴が垣間見えます。彼は植民地時代の朝鮮の画家ですが、彼の《秋の或る日》（1934年）（図3‐10）は、朝鮮の荒れた赤土の大地に、浅黒い肌の半裸の女性を描いています。なお、この絵の場合は、土田やゴーギャンとは異なり、この親子からは落胆し、呆然としているような表情も読み取れます。ここには、植民地とされ貧しい暮らしを強いられる同胞の身の上に対する李の思いが表れているのかもしれません。

北原恵編著の『アジアの女性身体はいかに描かれたか』（青弓社）には、白人のしかも男性を中心にしたアートの世界において、二重によそ者である「アジアの女性」がどのように描かれたのか、そして、アジアの女性アーティストたちがどのように活動したのかなどが詳しく書かれています。

なぜかくも女性の裸が多いのか

ところで、「よそ者化」というツールを使っていくつかの作品を見るなかで、もしかして気づいた方がいらっしゃったかもしれませんが、なんだか女性が描かれるとき、やたら裸が多くありませんでしたか？

例えば、男性用小便器を「アート」として提示した《泉》（１９１７年）で知られる「現代美術の父」マルセル・デュシャン（Marcel Duchamp 1887-1968）は実はピカソとほとんど同時代に、キュビスムのような絵画を描いていたアーティストでもあります。彼の《階段を降りる裸体№.２》（１９１２年）（図３-11）は、絵画のなかに動きと時間を取り入れた作品として有名です。

この作品に影響を与えたと考えられるのが、映画という発明のきっかけを作ったエドワード・マイブリッジ（Eadweard Muybridge 1830-1904）の連続写真《階段を降りる女性》（１８８７年）（図３-12）で、これはマイブリッジが妻を裸にして階段を降りさせたものでした。なお、マイブリッジは男性が運動する様子や、馬が走る様子なども撮影していますが、デュシャンが注目したのはやはりこのマイブリッジの妻の連続写真でした。

このように、イメージの歴史の転換点で女性の裸はひとつの基準のようなモチーフとして、新しい表現にトライするときに使われてきたのです。例えば、ピカソの《アビニョンの娘たち》もそのひとつの例と言っていいでしょう。ルネサンス以降は特に、ヌードの作品に着目することで、美術史におけるそれぞれの時代の表現の特徴が見えてくると言っていいほど、女性の裸はよく描かれてきました。

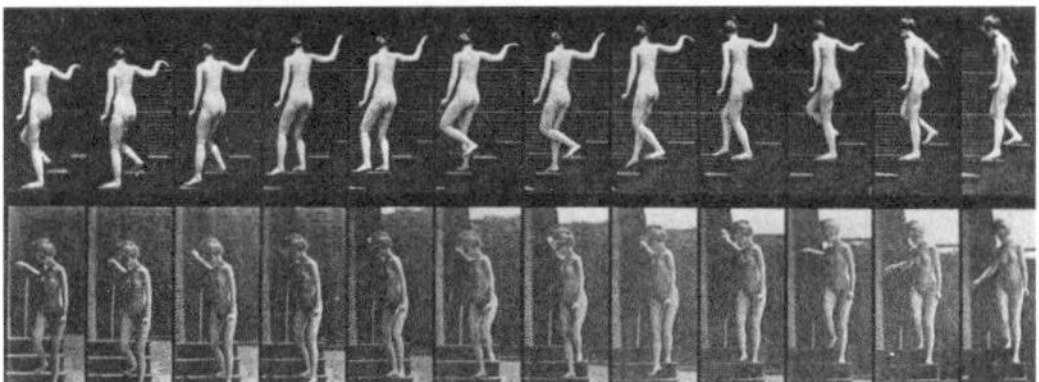

（上）図3-11　マルセル・デュシャン
《階段を降りる裸体NO.2》1912年
（下）図3-12　エドワード・マイブリッジ
《階段を降りる女性》1887年

ここからわかるのは、女性の裸が長らく「見られる対象」として一般的な「モノ」だったということです。

ちなみに、写真表現を学ぶ人のための教則本でも「静物」とか「フード」「ポートレート」「風景」などの被写体のカテゴリーのひとつとして「ヌード」に1章が割かれていたりします。言うまでもなくその場合、対象となるのは女性のヌードです。

「ネイキッド」と「ヌード」——ツールとしてのフェミニズムその②

にしたってアートとなると、どうしてこんなに「裸」が多いのでしょう。なぜアートの世界では「裸」がこんなに人目につくことが許されてきたのでしょうか。近年話題になりがちな公共空間に展開される男性向けの萌え系キャラのイラストであっても、さすがに全裸や半裸ではありません。でも、美術館へ行くと唐突に巨大な裸体に遭遇することがありますね。素知らぬ顔で「ふーん」と鑑賞するわけですがよくよく考えるとちょっとおかしなことです。

そんなアートにおける「裸」の独特の扱われ方について、「ネイキッド（naked）＝単なる裸」と、「ヌード（nude）＝裸体像」に区別されていると指摘したのが、イギリスの美術史家ケネス・クラーク（Kenneth Clark 1903-1983）の著書『ザ・ヌード ―理想的形態の研究』（筑摩書房）でした。

クラークによれば、「ネイキッド」とは、服が剥《は》ぎ取られているようなただの裸の状態を言います。社会化された現代人であれば、親しい関係性や限られた場所でしか誰かのそれを目にすることがない、隠されるべきとされるものです。一方、「ヌード」は、そのような後ろめたいニュアンスがない、「均整のとれた、健やかな、自信に満ちた肉体」。理想にかなったかたちで再構成された身体イメージです。

アートにおいては、「ネイキッド」はだめだけど、「ヌード」にかなった演出を施された裸体像であれば、それは「性的だ！」「不道徳だ！」と問題視されないという暗黙の了解がありました。だから美術館には「ヌード」と称した裸が堂々と存在しています。

ちなみに、「均整のとれた、健やかな、自信に満ちた」ヌードとして作られるのは、人間の女の裸体ではなく、神話の登場人物、つまり女神でした。ある時代までのアートワールドでは、女性の裸体を描く際には、生身の現実の人間ではなく女神や天使などの聖なる存在として描くルールがあったのです。

ですから、当時のアートワールドの住人に「なぜアートには女の裸が多いのか？」と聞く

図3-13　エドゥアール・マネ《草上の昼食》1863年

と、「これは女の裸（ネイキッド）ではなく、女神の裸体像（ヌード）なのです」という回答が返ってきたかもしれません。

「人間の女にしか見えないけど……？」

と思ったあなた、そう、その直感は間違いではありません。「女じゃなくて女神！」なんて、現代のわたしたちからすればほとんど屁理屈のようですね。

《草上の昼食》と《ヴィーナスの誕生》

そんななか、単なる裸（ネイキッド）を描いちゃっている！　と、スキャンダルになったことでよく知られるのは、エドゥアール・マネ（Édouard Manet 1832-1883）の《オランピア》（１８６３年）

図3-14　アレクサンドル・カバネル《ヴィーナスの誕生》1863年

と《草上の昼食》（1863年）（図3-13）でした。

どちらもとても有名な絵画ですが、《草上の昼食》は、ピクニックの場面なのに、なぜか女性だけが裸で、しかもその裸の女性と鑑賞者とが、目が合うようにできている不思議な絵画です。もちろん、いくら昔のことだといっても、ピクニック中、周囲の男性が衣服を身につけているのに女性だけが裸になるなんてことはなく、当然、想像上の光景です。

しかし、この絵画は、現実の世界の男性たちと、女神ではない現実の裸の（娼婦を想起させる）女性が同じ画面のなかに収まっているということが、不道徳で破《は》廉《れん》恥《ち》だとされ、とても不評だったと言われています。

一方で、同年、アレクサンドル・カバネル

（Alexandre Cabanel 1823-1889）の描いた《ヴィーナスの誕生》（１８６３年）（図3 - 14、前ページ）は、大評判を呼び、ナポレオン3世が購入しています。

カバネルが描いた美の女神であるヴィーナスはグラマラスな体をくねらせた大胆なセクシーポーズ。大胆というよりむしろ露骨と言ってもいいかもしれませんが、どちらが「不道徳で破廉恥」なのか、と問われると、首をかしげてしまいます。

《オランピア》と《ウルビーノのヴィーナス》

マネが同年に描いた《オランピア》（図3 - 15）も、さらに厳しい批判にさらされ大炎上しました。ティツィアーノが描いた《ウルビーノのヴィーナス》（１５３８年）（図3 - 16）の構図を参照して描かれた《オランピア》は、黒人の召使いや、当時、理想とされたカーヴィーボディではなく痩せて平らな体つきに描かれていること（カバネルのヴィーナスと比べると体型の違いがわかります）、タイトルの《オランピア》がよくある娼婦の源氏名であったこと、ミュールを履いていること、そして、ティツィアーノの絵では子犬がいた場所に黒猫が描かれたこと（女性器や女性性を暗示する）……など、娼婦を描いた状況証拠のようなものが絵画

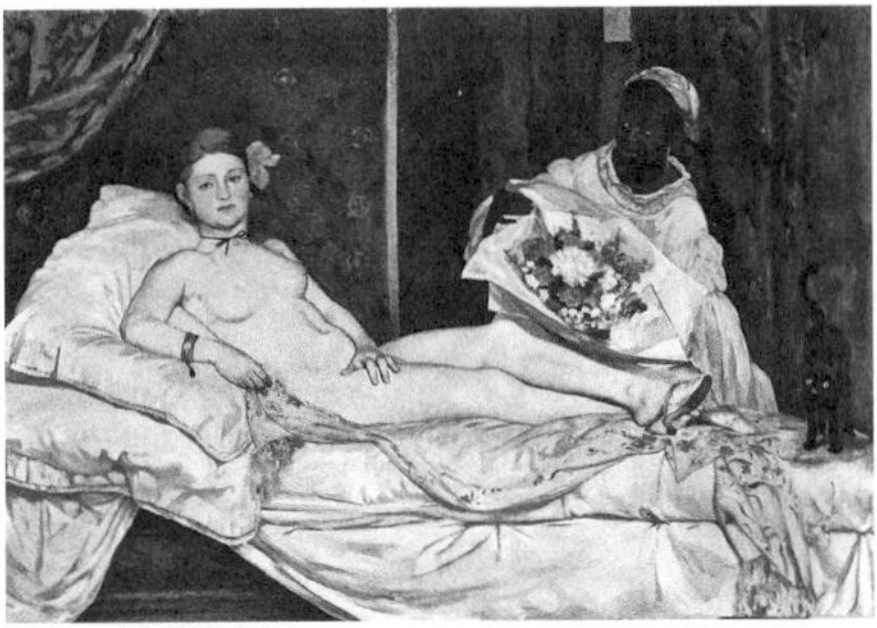

（上）図3-15　エドゥアール・マネ
《オランピア》1863年
（下）図3-16　ティツィアーノ
《ウルビーノのヴィーナス》1538年

の中に揃っていました。

これに「ふしだらだ！」「けしからん！」という批判が噴出。そのうえ、それまで主流だった格式高い（とされた）描き方ではなかったために「風呂上がりのスペードの女王（トランプのように平面的だという意味）」や、「メスゴリラ」「汚れたヴィーナス」「黄色い腹のオダリスク（オダリスクは「トルコの王宮に仕える女奴隷」の意味）」などと、全方位的に批判されまくりました。

マネは、ここまで炎上するとは思っていなかったのでしょう。ほかの同時代の画家たちと同様に出世や名声を欲していた彼はこの2作品への批判に心が折れて旅に出たと言われています。

でも、「女神」として描かれた多くの絵画が、見た目はそっくりそのまま人間の裸でしかないことを踏まえると、マネのこの2つの作品をめぐるエピソードは、現代から振り返れば、裸を見たいすけべ心に言い訳を与える公然の秘密としての「女神」の欺瞞《ぎまん》、アートにおける「裸」のルールに問いを投げかけたと言えるでしょう。

裸のイメージの変遷

ちなみに、娼婦を暗示するいくつかのポイントについてはともかく、《ウルビーノのヴィーナス》やカバネルの《ヴィーナスの誕生》に対して《オランピア》の裸体が「メスゴリラ」と言われるほど大きな違いがあるか、と言われると、「人それぞれ体つきは違うよね」という程度でスキャンダルとなるほどの大きな差は感じないのが、現代のわたしたちの率直な感想ではないかと思います。

というのも、昨今のメディアで見る身体のイメージはかなり多様化してきているため、《オランピア》が受けた「メスゴリラ」という批判はなかなか現代のわたしたちの感覚としては理解しにくいものがあります。

このような「裸」のイメージの変遷は、１００年以上前に一度起こった出来事というわけではありません。例えば、ファッション産業が送り出すイメージに起用されるモデルの身体的特徴にもトレンドがあります。

１９９０年代半ばから活躍したスーパーモデルのケイト・モスは、１９８０年代後半に活躍したモデルたちの健康的でグラマーな体型に比べて痩せていて、背も比較的低く、肋骨や腰骨が目立ち、目の下にクマがあることから「ヘロイン・シック」と言われました。近年、ケイト・モス自身がこの呼び名に不満を感じていたことを明かしています。その痩せた身体・裸がファッション・イメージに起用されるのは画期的なことでしたが、同時に「新しい裸」であったために、不健康だとして批判的に見る人もいました。加えて、痩せることへの盲信を招いたことも確かで、ここには功罪があります。

現在では、そうした「痩せすぎ」への警戒と、多様性と包摂という考え方の高まりから、平均よりも高い身長や重い体重のモデル（プラスサイズ・モデル）の起用による「ボディ・ポジティブ」へと、メディアが発信する身体のイメージにも変化の兆しが現れています。

マネの絵の何が「けしからん」のか

話を戻します。マネの2つの絵に「けしからん！」と批判が浴びせられたアートワールド・スキャンダルをご紹介しましたが、一体、あの絵の何が「けしからん」のでしょうか。

マネが描いたのが娼婦だったことや、あるいは、それまでの「建前としての女神」ルールを守らなかったことが「けしからん」ものだった……というのは先ほど述べましたが、それだけではありません。

実は、美術史を遡ると、古代ギリシャや古代ローマでは、裸体像といえば男性のそれが中心でした（女性の裸体像も許されていたけどとても少ない）。キリスト教的規範が強くなった二世紀頃からは、裸体像は男も女もぱったり作られなくなり、十五世紀前後のルネサンスで、古代ギリシャや古代ローマの芸術を復興させようという気運が高まりようやくヌードの作品が作られるようになりました。が、その間に成立したキリスト教的な中世の価値観によって、その後も、（人間の）女の裸は人間（not 女性＝男性）を誘惑する罪深いものとされていったのです。だから、ルネサンス期になっても、女の裸は、通常は「下位・周縁」のものなので、「女神」という建前を用意し、美化しないと描いてはいけない、「けしからん」ものだったわけです。

「濡れ衣」を着せられた女性の裸

女性の裸体に対するこの「けしからん」思いの欺瞞をはっきりと指摘したのがジョン・バージャーの『イメージ』（筑摩書房）におけるハンス・メムリンク（Hans Memling １４３０

年／１４４０年頃―１４９４）の《虚栄》（１４８５年頃）（図3‐17）についての記述です。

画家が裸の女性を描くのは、画家が彼女の裸を見るのが好きだからである。しかし、画家は彼女の手に鏡を握らせ、その絵を「虚栄」と名づける。このようにして画家が自らの快楽のために描いた裸の女性を道徳的に非難するのである。

実は、このメムリンクの《虚栄》は、『地上の虚栄心と神の救済の三連祭壇画』の一部で、

図3-17　ハンス・メムリンク《虚栄》1485年頃

この絵の左右には死をあらわす骸骨と、悪魔が描かれています。この絵は、ルネサンスの少し前に描かれた「寓意画」、つまり「たとえ話」のイメージ化で、「虚栄という概念を擬人化したらこうなる」の図、というわけです。

いわば、メムリンクの《虚栄》は、男性の画家が裸を見たい気持ちがありなが

ら、そのタイトルによって自らの上位・中心クラスの立場を保ち、線引きをした絵画です。この作品に限らず、男性が欲を掻き立てられるのは、女がいやらしい身体をしているからだ、というロジックで、女性を断罪するようなイメージや物語は多く作られてきました。

女性は、異性愛の男性を中心とする世界観のなかでは、「誘惑してくるよそ者」。この考え方が、女性の「裸」に適用され、女性が誘惑しようとするかどうかの意思にかかわらず、「わたしたち・男性」を脅かす「けしからんもの」として、なぜか「女性の裸」は罪と罰を受けてきたと言えます。

このようにアートでは、そして、それ以外の創作物においても女性の裸に「濡れ衣《ぎぬ》」を着せられることは少なくありませんでした。

「男性のまなざし」――ツールとしてのフェミニズムその③

このようなアートなどの視覚芸術における女性の肌の露出やヌードについて、フェミニズム批評では「**男性のまなざし（male gaze）**」というツールを使って分析してきました。

この「男性のまなざし」は、かなり端的に言い換えるならば、異性愛者の男性を主体とする「すけべ心」あるいは「エロ目線」を指摘するためのツールです。「すけべであることやエロへの気持ちも責められるなんてやっぱりフェミニズムは強硬だ」「ちょっと怒りすぎでは？」「フェミニズムは欲望を否定するのか！」と非難されそうですが、そうではないのです。でも、この「男性のまなざし」が性差別的な構造の維持に寄与していることは、はっきりと指摘しておかなくてはなりません。

それは、この「男性のまなざし」というツールの使い方をおさえておくことが、つかみどころのないアートの鑑賞のひとつの足がかりになるだけでなく、いま、この世の中に溢れかえるイメージについて考えるうえで有効な物差しになるからです。

「男性のまなざし」という言葉が問題にするのは、女性を主語にして言い換えると、「女性の性的対象化」あるいは「モノ化」と言えます。

ちなみにこの「男性のまなざし」というツールは、アートだけでなく、映画や広告、写真などあらゆるジャンルを批評する時にも応用可能です。

というのも、この「男性のまなざし」は、そもそも映画研究者であるローラ・マルヴィ(Laura Mulvey 1941-) の「視覚的快楽と物語映画」というエッセイのなかで登場した言葉でした。

マルヴィが述べたのは、男性があらゆる場面で決定権者となっている世界では、雑誌や写真、ストリップ・ショー、映画、広告……、あらゆるイメージのなかで、女性が常に「見られるため」の存在として、目に見えてエロティックなインパクトを与えるようにスタイリングされ、演出され、キャラクター設定されてきた、ということです。「見る」という行為において快楽を得るのは常に（異性愛の）男性で、女性は快楽を与える「見られる」側。このように「見る／見られる」とジェンダーは密接に結びついてきました。

ですから「男性のまなざし」とは、誰か特定の男性のものの見方やまなざしを指し示し、批判しようとする言葉ではありません。あらゆるシーンにおいて、（異性愛の）「男性のまなざし」を想定し、それに沿って女性を見られる対象に演出してしまう傾向を指摘するときに使う言葉なのです。

例えば、近年、Twitterをはじめとするネット上では、萌え系のちょっとエッチな絵（萌え絵）をめぐって、そうした絵を愛好するファンの人と、それを取り締まるべきだと主張する人の間に対立があります。実はこの対立も、「男性のまなざし」に関係しています。

「男性のまなざし」の観点から言うと、「萌え絵」の問題は、過度に性的興奮を起こさせるようなジェンダーステレオタイプな描写が公的な広告などに用いられることで、この社会の男性中心主義が強化されていく、という点にあります。

よく問題になるのは、ちょっとエッチなイラスト（萌え絵）やキャラクターが、駅や公共放送のような、子供から大人まで、そして、あらゆるジェンダーの人が見る場所に展開される場合です。このとき、その絵が「炎上」するのは、この萌え絵が多くの人の目に触れることで、社会全体に、そして、無意識のうちに、女性が見られる対象であるというメッセージがじわじわと長い時間をかけて浸透していくことが懸念されるからです。

他方で、ある萌え絵に対して批判が集まり「炎上」すると、その絵を愛好する人びとは、自分の好きなものが否定され、存在さえも許されないものにされてしまった、表現の自由がさまたげられていると感じるので、怒りをあらわにします。これによってますます対立が深まっています。

こうしたなかで、解決策として求められているのが、その萌え絵にアクセスしたいと思う人だけがアクセスできるようにする工夫としての「ゾーニング」です。

この世の中には、性的な漫画や雑誌、アダルトビデオ、そしてアートも含めて、性的なイメージが溢れていますから、「男性のまなざし」という観点からそれらを批判的に見ることは、ひとつの防衛の方法です。しかし、「萌え絵が公的な空間にあること」を批判することは、それらを徹底的に駆逐すべきだ、ということでもありません。おそらくそれらをすべて取り締まることは不可能ですし、不健全でしょう。

つまり、「萌え絵」の場合は、イメージのエロさやその度合いが問題なのではなく、常識に照らして「男性向けの性的欲望を喚起するようなイメージが至るところにある」という現象と、そのイメージが置かれる場所の権威性や公共性にあると言えます。

「アートを学ぶこと」と不可分だったこと

さて、この「男性のまなざし」は、映画におけるキャラクター演出や萌え絵などの「表現のトレンド」的な話にとどまらず、実社会においてアートへの女性の参加を阻むものにもなってきました。

ルネサンスの後、十七世紀頃は、一流のアーティストを目指す者は、「歴史画」という格式高いジャンルの絵を描くことが必須でした。

これはかつて、娯楽映画がアカデミー賞といった権威のある賞を取りにくかったり、批評家から冷遇されたりしたことに似ていますが、このようなジャンル間のヒエラルキーに従っ

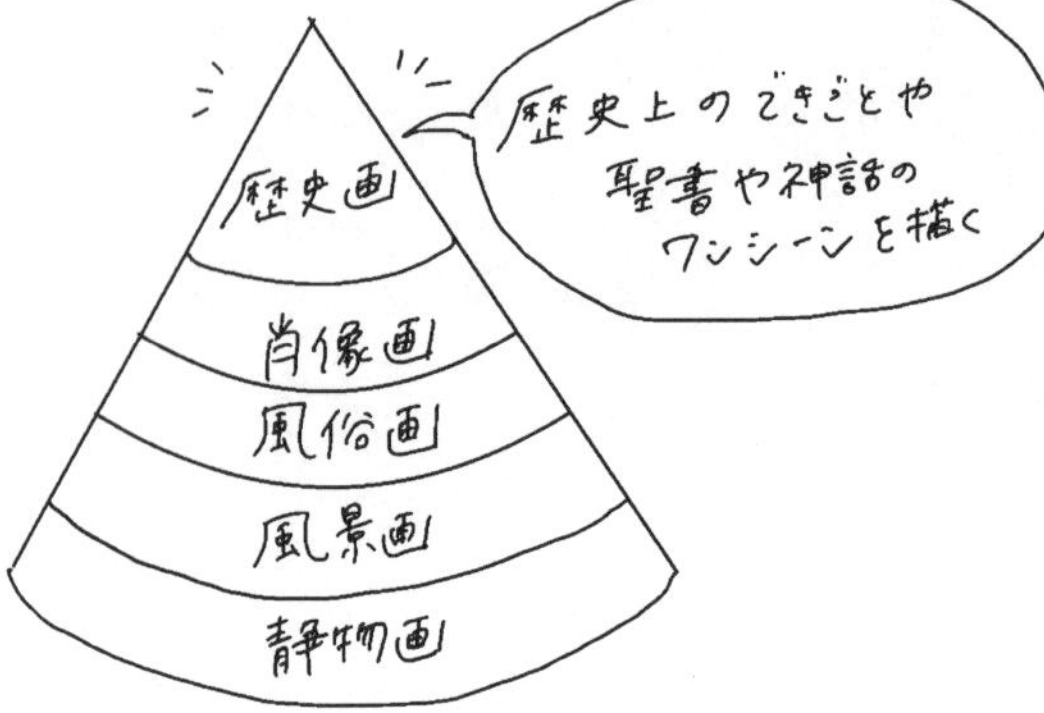

て、歴史上の偉大な人物や神話や聖書の1シーンを描くことがアーティストのキャリアパスにとっては重要でした。

当然、歴史画のなかには男性も少なからず登場します。着衣の男性を描くにせよ、アーティストにとっては男性の骨格や筋肉のつき方を理解することは重要です。

そうした理由から、アーティストになるための基礎訓練として男性の裸体を描くことは必須。いわば「アートを学ぶ」ことはモデルとなる男性の裸体をじっと見ることと不可分だったのです。

一枚の集団肖像画が示すこと

しかし、「見る／見られる」の関係とジェンダ

図3-18　ヨハン・ゾファニー
《ロイヤル・アカデミーの会員たち》1772年

ーが結びついた社会では、基礎訓練の機会を奪われる人たちがいます。

それをあらわしているのが、ヨハン・ゾファニー（Johann Zoffany 1733-1810）による《ロイヤル・アカデミーの会員たち》（1772年）（図3-18）です。この絵は、ロイヤル・アカデミーの創立会員の集合写真的なものとして描かれました（このときはまだ写真の発明以前です）。絵に向かって右の前列には裸の男性モデルがいます。アカデミー会員たちはそれぞれに談笑したり議論したり、あるいは男性モデルにポーズを指示しているようにも見えます。

そのなかでも注目してほしいのは、この部屋の右側の壁にある2枚の女性の肖像画です。実はこれが、ロイヤル・アカデミーの創立会員であったアンジェリカ・カウフマンと、メアリー・モーザーです。女性の創立会員はこの２名だけでした。

当時、画家は男性であれば、男性のヌードモデルを描くことができましたが、女性の画家は男性モデルも、男性の石膏像も、使うことは許されていません。ましてや、ほかの男子学生と同じ部屋で、男性モデルの裸体をまなざし、描くことなどもってのほか。けしからんことこの上なし、とされました。ここでは「まなざし」の主体になれるのは男性だけ。「見る／見られる」の性役割によって女性はアーティストとしての競争にエントリーする権利を奪われていたのです。

この絵を描いたヨハン・ゾファニーは、このような集団肖像画を得意とする人物で、とても真面目な人だったのでしょう。裸の男性モデルと女性画家が同じ空間にいること、そして、女性が男性をモデルに絵を描くことが許されていないというそのルールを、絵画のなかでもきちんと適用しています。

このように、女性だけが「絵にされる」ことは、見る権利を奪われ、見られる対象としての役割を押し付けられてきたことを示しています。そして、それは「絵のなか」に終わらず現実として、女性の学ぶ権利を奪っていたのです。

イヴ・クラインの「人体測定シリーズ」

さて、時代をぐっと現代へと近づけましょう。「女性だけが絵にされる」という事例は現代アートでも起こっています。現在でも議論になるのが１９６０年代にニューヨークで活躍したイヴ・クライン（Yves Klein 1928-1962）の「人体測定シリーズ」です（図３-19）。クラインというアーティストはいわゆる「ＩＫＢ（インターナショナル・クライン・ブルー）」という鮮やかな青色でよく知られています。彼はこの青色を開発し特許を取得して、その色を使用した作品で革新的な表現に取り組んでいました。

青一色の絵画や、海綿を染め上げた作品など、そのＩＫＢを使うことで宇宙の神秘を「物質」として表現していたクライン。アートを絵画や彫刻などの「物質」を持ったものから解き放ち、非物質へと展開させることを試みて、パフォーマンスの作品も制作しました。彼の個展として開催

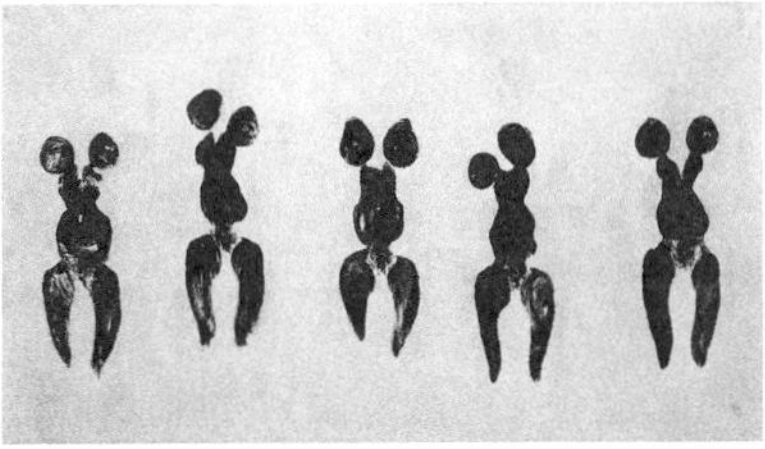

図3-19　イヴ・クライン「人体測定シリーズ」1960年

された「空虚」（１９５８年）展では、「空虚」の名前の通り、ギャラリーのなかに一切の作品がない真っ白な壁だけの空間を「展示」して観客を驚かせました。その展覧会では青色のカクテルが振る舞われ、観客は家で尿をした時にその尿が青く染まっていることに驚いたと言われています。

これらの作品に見る彼の重要性は、頭でっかちで閉鎖的な美術の実践を、アトリエや芸術理論から解放するために、神秘的な感覚やスピリチュアルなものと結びつけることで新たなアートのかたちを実践したところにあったと言えるでしょう。

そんな彼の「人体測定」シリーズは、ＩＫＢを塗った女性モデルの身体で描かれた大型の絵画作品でありパフォーマンスアートです。この作品を評するにあたり、女性モデルたちは「生きた絵筆（living paintbrushes）」と称されました。

「生きた絵筆」

制作のプロセスにおいてモデルたちはクラインの指揮のもとで「絵筆」として働きました（図3‐20）。

「生きた絵筆」というのは、彼女たちモデルが自らの裸体にＩＫＢを塗りたくり、両手を広げて体を紙の貼られた壁に押し付けたり、床に敷かれた紙の上に寝そべったモデルを、別のモデルがずるずると引きずって、線を描いたりしたからです。

もちろんこの「生きた絵筆」を使用することも、彼としては型にはまったアートを打ち破るための方法でした。それまでの絵画では、モデルはただじっとキャンバスの向こうにとどまり、視線を投げかけられるだけの受動的な存在でしたから、本作ではモデル自身が能動的に絵画の制作に関わっているとも言えるでしょう。確かに、伝統的な絵画における画家とモデルの関係では見られない制作スタイルです。

図3-20　クラインのもとで「生きた絵筆」として働いたモデルたち

しかし、この「生きた絵筆」は、絵筆として使用された身体が女性のものだけだったことを考えると、男性中心主義を反映した女性の身体の活用と管理として読み解くことも可能です。「生きた絵筆」を指揮し、従える制作方法は女性の「主体性」というよりも「奉仕」の態度のほうを強調しているようにも読めます。ですからいまでも、女性を「生きた絵筆」として「使った」パフォーマンスに対しては、「搾取ではないか」という指摘がたびたびなされているのです。

他方、この時にモデルとなった女性のひとりであるエレナ・パルンボ・モスカは、「クラインは女性たちを見せ物にした」という批判に反論するように、クラインが彼女たちに敬意を持って「コラボレーター」として扱ったこと、そして本作を神秘的な儀式として経験したことも証言しています。

また、モデルをしたうちのひとりでありクラインの未亡人（クラインは34歳で亡くなっています）で、自身もアーティストであるロートラウト・クライン・モーケイも「身体と精神が一つとなりそして作品の一部となったスピリチュアルな体験だった」と、肯定的に振り返っています。証言の通り、クラインはコラボレーション的な意図で女性たちと共同制作を行ったのかもしれません。悪意はなかったし、敬意があったのでしょう。

しかし、正装するクラインと観客に比して、裸で青色の絵の具にまみれる女性モデルとのヴィジュアル面でのコントラストは非常に大きなものと言えます。ここに「よそ者化」の（「意図」ではなく）「作用」があったことは指摘せざるを得ません。そして、言わずもがな、モデルたちの名前は美術史には残っておらず、本作はクライン個人の作品としていまも語られています。

「紅一点」に投影される不均衡なジェンダー観

クラインがニューヨークで「人体測定」を発表していた頃、日本でも、女性アーティストが「見られる」役割を担わされています。

篠原有司男や赤瀬川原平、荒川修作といった前衛アーティストが参加して、「東京都美術館爆破計画」を立てたり、グループ展で作品に尿をかけるなどの過激なパフォーマンスを行ったりしていたアーティスト集団「ネオ・ダダイズム・オルガナイザーズ」。

１年足らずの活動期間だったグループですが、その後、日本の重要な前衛アーティストとなる人たちが参加していたことから日本の美術史において異彩を放っています。そのグループの中で武蔵野美術大学を出たばかりの若手アーティストであり、そして唯一の女性だったのが岸本清子（1939-1988）です。

１９６０年７月、このグループを宣伝するためにＴＢＳテレビで放映された番組「ビーチショー」が、鎌倉の海岸で撮影されました。この番組のなかで岸本は身体中に包帯（さらし）を巻かれ、木に宙吊りにされ、男性アーティストたちに泥や泥のついた葉っぱ、さらには灰をかけられたり、吊るされた体の下から花火を打ち上げられたり（！）したと言われています。

「ネオ・ダダイズム・オルガナイザーズ」のメンバーは当時のアートのトレンドであった「アンフォルメル」の動向を揶揄するなど、形骸化し、権威化したアートの中で「反芸術」をかかげていました。血気盛んな若きアーティストらしく、なんらか新しい「表現」を模索していたのでしょう。「爆破」や「尿」はそのために生まれたアイデアでした。

彼らの行為を西洋中心の美術史のなかに位置付けるとすれば、アメリカで同時期に起こっていた「ハプニング」に似た、前衛的なパフォーマンスと言えます。当時はまだ「ハプニング」の情報が十分に日本に入ってきていなかったことを踏まえれば、日本の美術史において西洋の後追いではない、重要な活動でした。

しかしながら、「ビーチショー」での、岸本清子を自分たちのなかから選び出して「モノ」のように扱うパフォーマンスは、メンバー内の紅一点、つまり「女性（よそ者）」という立場をことさらに強調し、「見られるモノ」にしたことは明白です。「前衛的な」アートグループでありながら不均衡なジェンダー観を前提に、岸本から主体的なアーティストとしてのあり方を奪うこの行為は、ある意味で悪しき伝統に沿った性差別の実践にすぎないのです。

ちなみに岸本清子は、その後、個人のアーティストとして精力的な活動を行っていくようになります。自らを「地獄の使者」と名乗りピラミッド型の差別的な社会構造を批判するパフォーマンスや、選挙への出馬、１９８１年には《ホワイトマウンテンゴリラ》（１９８１年）（図3‐21）という巻物のような絵画の連作を制作しています。

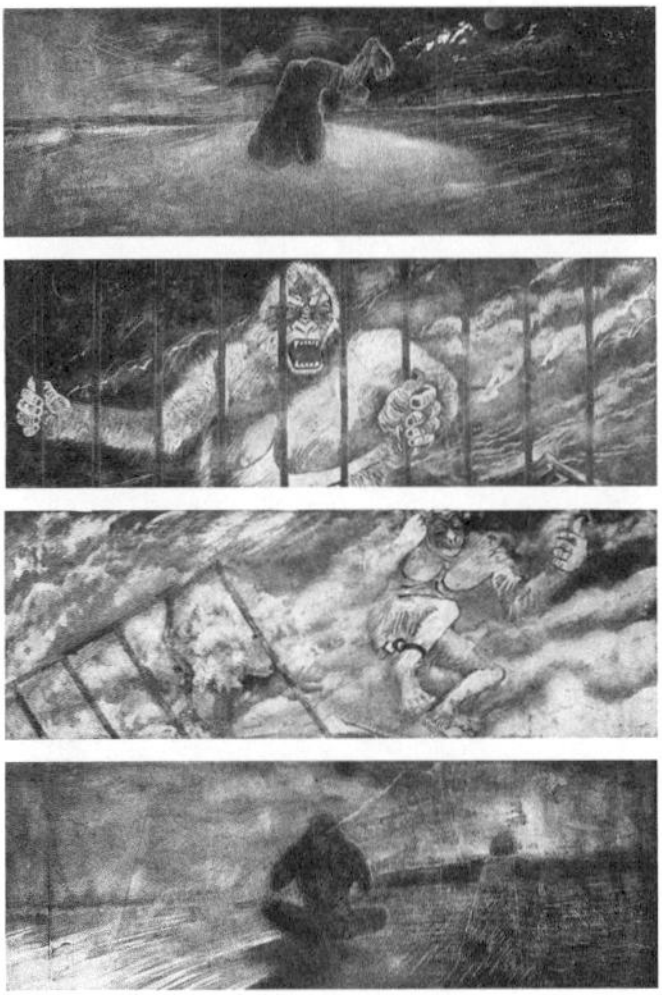

図3-21　岸本清子《ホワイトマウンテンゴリラ》1981年

この絵画では自由や愛の象徴としてのゴリラが、女性に押し付けられてきた性的な役割と規範の檻を打ち破る様を描いています。このゴリラは岸本自身の自画像とも読み取ることができるでしょう。

社会を読み解くための有効な視点

ここまで、フェミニズムをツールとして、作品の中で、女性や女性アーティストがどのように扱われてきたのかを読み解いてきました。

怪物、魔女、ゴリラなどと結びつけられることによって女性がこの社会の下位、周縁に置かれてきたこと、そして、一見ちょっと良さそうに見えなくもない、女神、自然、神秘、そして「紅一点」なんかも、性差別的な社会構造の温存に一役買ってきたことがおわかりいただけたでしょうか。

このような「ジェンダー」の視点からの読み解きは、アートがよくわからないという人にとって、ひとつの指針になるのではないかと思います。女性はどこにどのように描かれているのか、そもそも人間として描かれているのか。美術館へ行って展示室を見渡し、創造された人物と、それを制作した人物のジェンダー比率を考えてみるのもいいでしょう。

わたしのように、丸腰で美術館に行ってどうしたらいいかわからず手持ち無沙汰になってしまった経験がある人にこそ、この鑑賞方法はおすすめです。というのも、「ジェンダー」はアーティストにも、作品内にも、そして、あなたにも、否応なく空気のようにまとわりついているからです。それを手がかりにすることで、あなたなりの「読み解き」ができるかもしれません。また、身につけた「読み解き方」は、アートだけでなく社会のさまざまな事象に使うことができるはずです。

　さて、本書もようやく終盤です。次の章では、この第3章で指摘してきた性差別を批判的にとらえたアーティストたちによるフェミニズムの実践をご紹介します。

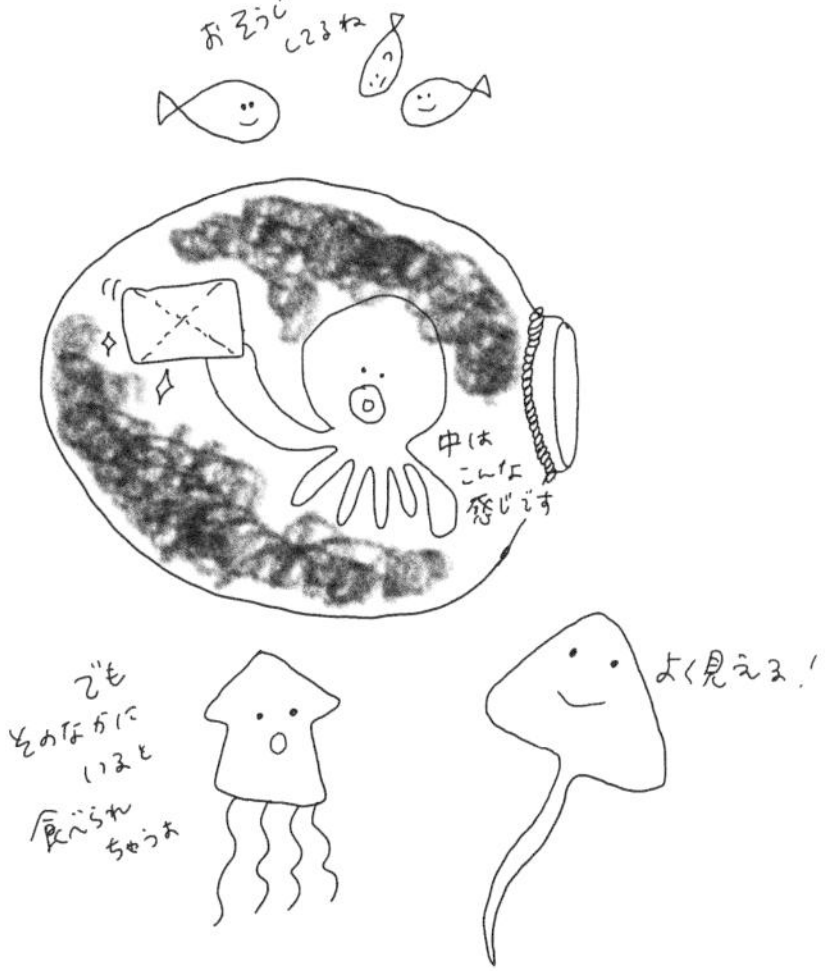

第４章

フェミニズムを
アートで実践する

作品にこめられた「声」に耳をすます

これから紹介するアーティストたちの作品は、視覚的に言えば「映え」よりは「萎《な》え」的なものであったり、美しくなかったり、心地よくなかったりするようなものも含みます。

でも、それらの作品がそういう見た目であることにも実は意味があります。

これらの作品は、アーティストたちがフェミニズムのツールを使って社会を読み解き、その「読み解き」をアートとして表現している「声」でもあります。なかには「叫び声」や「喚《わめ》き声」にも聴こえるものがあるかもしれません。でも、この章で出会うアーティストと、ここまで読んできたみなさんは、社会に対する「読み解き方」で通じ合うことができるはずです。アーティストが作品を通じてあげた「声」を、わたしたちも彼女ら・彼らが使ったのと同じツールを使って読み解いていきましょう。

◉ゲリラ・ガールズ――「ゴリラ」に扮してジェンダー不平等を問う

この章のはじめに紹介したいのは、アートにおける女性の位置付けについて、岸本清子と同じく「ゴリラ」に変身し問いを投げかけたゲリラ・ガールズ（Guerrilla Girls 1985-）です。

> 女は裸にならないと、メトロポリタン美術館に入れないの？
> ――モダン・アート部門のアーティストのうち、女性は5％以下。しかし、ヌード（裸体像）の85％は女性である。（1989年）（図4-1、169ページ）

これは、ゲリラ・ガールズが、ニューヨークの市バスの広告枠を買い取って「展示」した作品のなかで示されたスローガンです。ゲリラ・ガールズはゴリラのマスクをかぶった匿名のアーティスト集団で、リーダー的存在を据えることなく、神出鬼没にアートワールドの性差別を指摘しまくりました。

そのなかでも、このメトロポリタン美術館への批判は最もよく知られたものであり、ここには「男性のまなざし」によって、女性がアートワールドで正統な評価を受けることが妨げられており、「見られる対象」としての役割を常に押し付けられてきたことが示唆されています。

そのうえで、ゲリラ・ガールズが他の作品で示すのは、「女性」はまなざしの対象であるのに、女性アーティストの「作品」は十分に見てもらう機会を得られていないということです。

去年どの美術雑誌が女たちにとって最も悪かったか？　『フラッシュ・アート』13％、『アート・フォーラム』16％、『アート・ニュース』22％、『アート・イン・アメリカ』24％、『アーツ』25％（数字は各美術雑誌が取り上げた作品や個展のなかで女性アーティストの作品が占める割合）（１９８６年）

去年、何人の女性がニューヨークの美術館で個展を開いたか？　グッゲンハイム美術館０、メトロポリタン美術館０、ＭｏＭＡ１、ホイットニー美術館０（１９８５年）

親愛なるアートコレクターさま、あなたのコレクションにはほとんど女性の作品が入っていませんが、それがわたしたちの注意を引くところになりました。わたしはあなたがこれをひどいと感じておられ、この事態を速やかに改善されるつもりであることを存じています。愛を込めて。ゲリラ・ガールズ（１９８６年）

ゲリラ・ガールズはこのように、統計を活用し、美術館や雑誌、アートコレクターなど、アートワールドのあらゆる権力にアプローチしながら、アートワールドのジェンダー不平等を訴えました。

　ここに示された数字は１９８０年代後半のものですが、２０２２年の日本でも、「表現の現場調査団」による調査によって、美大などの教育現場を含むアートアワードのジェンダー・バランスの不均衡が指摘されています。

　彼女たちの「ゴリラ」のマスクを見ると、アリストテレスが「ゴリラ」を例に出しながら女性を蔑視していたことや、マネの《オランピア》がメスゴリラと批判され

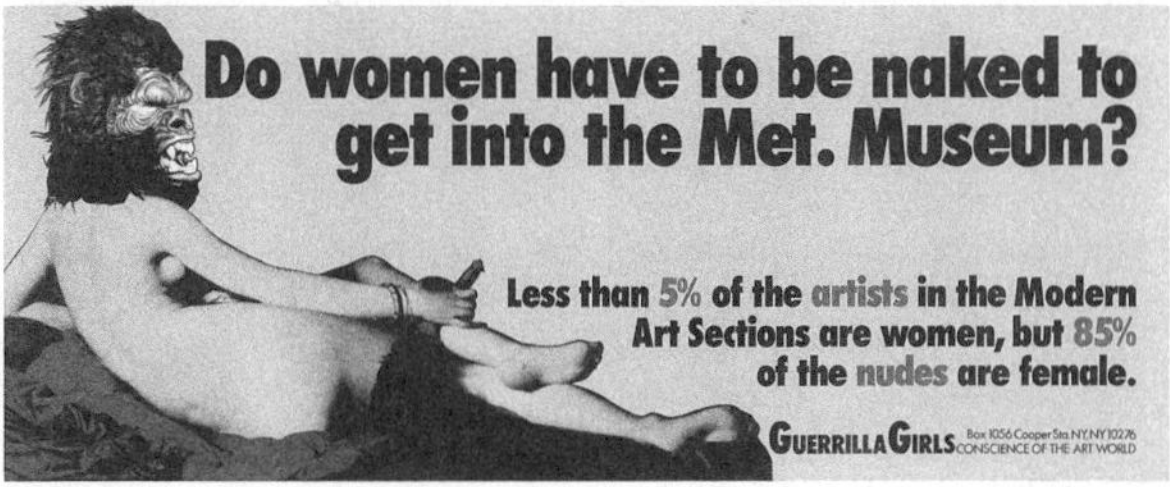

図 4-1　ゲリラ・ガールズ《女は裸にならないとメトロポリタン美術館に入れないの？》1989年

ていたことも思い出します。ゲリラ・ガールズのこの衣装は、白人男性中心主義のアートワールドにおいて女性が「ゴリラ」のようなものとして「よそ者化」されてきたことを強調するものであり、同時に、容姿や年齢、恋愛、家族関係など、女性アーティストのアート以外の部分にメディアの注目が集まるのを防ぐ役割も果たしていました。先回りして「ゴリラ」になるゲリラ・ガールズの仮装は単なる仮装ではなく「男性のまなざし」を退ける戦略でもあったというわけです。

そして、アートワールドにおける性差別に真正面から取り組んだゲリラ・ガールズの問題提起は、良くも悪くも、現在でも効力を失っていないのです。

◉マリー・バシュキルツェフ――街をひとりで歩く自由について

時代をぐっと遡ります。１８５８年にウクライナの名家に生まれたマリー・バシュキルツェフ（Marie Bashkirtseff 1858-1884）は、ゲリラ・ガールズが訴えたように、女性であることを理由にアートワールドへの参加に多くの制限を受け、アートを男性と同等には実践することができなかったアーティストのひとりです（図４‐２）。

彼女は若くして「女流画家」として活動し、美術館に収蔵された作品もありますが、実は絵画よりも「日記」の方がよく知られています。

バシュキルツェフは、少女期から勉強も芸術も、さらには音楽も嗜《たしな》み、そのうえ、自分の容姿の美しさと才能を信じていた野心家で、日記には「夢が叶わないなら死んだ方がマシ」と綴るような気高さと自信を持ったお嬢様でした。しかし、結核にかかり26歳になる直前に亡くなってしまいます。彼女の死後、「画家を目指した早逝の娘」という悲劇的なイメージとともに、世界中で日記が読まれることとなりました。

図4-2　マリー・バシュキルツェフ《自画像》1880年

ところが、この日記は実は何度も重版されていくなかで、母親が、娘の「悲劇的なイメージ」をより一層強めるために内容を改ざんしたり、亡くなった年齢を2歳サバを読んだりと、虚偽があったことが明らかにもなっています。

そんなマリー・バシュキルツェフはフランスに移住し、１８７７年にアカデミー・ジュリアンという私立の美術学校に入学します。第３章で紹介した《ロイヤル・アカデミー会員たち》で描かれたのは、1772年のイギリスの国立のアカデミーでしたが、バシュキルツェフの暮らしたフランスでは、約100年後の1870年代になっても女性は国立の美術学校（エコール・デ・ボザール）に入学することはできなかったのです。そんな逆境も跳ね返し、彼女は20歳で学内のコンテストで入選するなど、めきめきと実力をつけていました。

入学したばかりのバシュキルツェフは日記に、アカデミーのアトリエで絵を描く喜びについて綴っています。

アトリエでは全てが消えます。名前も家族も。もはや母の娘ではなく、自分自身なのです。人は独立し、その前に芸術があるだけ、他には何もありません。

この記述からは、死後に娘の日記を改ざんすることになる母親がいかに彼女にとって支配的な存在であったかが垣間見えます。当時のジェンダーにまつわる規範によって、画家になるための修練や独立の機会が妨げられていた状態を考えれば、「芸術」の前であらゆるしがらみから解放された喜びはひとしおだったのでしょう。

しかし、もちろん、バシュキルツェフは野心家ですから、アカデミーのアトリエで絵を描けるようになっただけで満足するわけがありませんでした。

彼女は、独立し一人前の画家となるためにはひとりでふらふらと自由に街を歩くことこそが必要だ、と考えるようになります。

私が望むのは、たった一人で出歩く自由です。チュイルリ「パリの宮殿跡」や、特にリュクサンブール公園のベンチに腰かけたり、美術店のウィンドウで立ちどまったり、教会や美術館に入ったり、夕暮れ時に古い街路を散歩したりする自由なのです。これこそが私がしたいことであり、この自由がなければ人は真の芸術家になどなれないのです。いつも人に付き添われて、たとえばルーブル美術館に行くのに、馬車を待ったり、付き添いや家族を待ったりしなければならないのに、見るものを楽しめると思いますか？ ああ頭に来る！ こういう時私は女であることが口惜しくてたまらないのです。

女であることは彼女が画家を目指すうえで大きな足枷《あしかせ》になりました。「昔の貴族のお嬢さんは大変だな」とお思いかもしれませんが、このことは、現代を生きる庶民にも、全くもって他人事《ひとごと》ではありません。

いまも多くの女性が、暗い夜道をひとりで歩くときには背後を警戒することが習慣化されているでしょうし、家庭の「方針」によっては、兄や弟が大学に入ることを奨励されても、姉や妹は大学へ行くことを反対されたり、自由に夢を追えなかったり、ということが起こっています。

「ああ頭に来る！　こういう時私は女であることが口惜しくてたまらないのです」というバシュキルツェフの言葉は、時代も場所も超えて、多くの女性たちが経験してきた想いと一致するのではないでしょうか。

そんな彼女の描いた絵画のなかで高く評価されているのが、ある日の街路の一コマを描いた《会議》（1884年）という作品です（図4‐3）。

《会議》は、街路に集まり、真剣な面持《おもも》ちで何かの作戦会議をしているような少年たちを描いた絵画で、「ああ頭に来る！」と日記に書きつけていた彼女の気性からすると、わりと素朴な作品に感じられます。

彼女は、多くの（男性の）アーティストと同じように成功をつかむため、自分ならではのテーマを探求していくなかで、「街路」を「発見」し、描くようになっていきました。

普段から街路を何不自由なく歩くことができる人からすれば、街路のようなものは、主題としてはあまり面白くもない、魅力的ではない題材だったでしょう。しかし、バシュキルツェフは違います。ひとりで自由に歩くことを許されない生活において、「街路」はむしろ憧憬の場所だったのです。

少年たちと同じ目線に立って描かれた構図からは、彼らの真剣な《会議》の光景を可愛らしく思いながらも羨《うらや》ましく眺めるバシュキルツェフの心境が想像されます。

図 4-3　マリー・バシュキルツェフ《会議》1884 年

当時から、「女性は夫や子供に劣らないように男性と同じ教育を受けなければならない」とフェミニスト雑誌に（匿名で）投稿していた彼女が、どのような心持ちでこの少年たちの姿を眺めていたのか。少年たちの素朴で自由な日常の光景を見つめる視点には、「女」であることによるさまざまな制限を受け、その道すら自由に歩くことのできない彼女の切実さを感じることができるのではないでしょうか。

◉鷹野隆大とバークリー・L・ヘンドリクス——排除されてきた男性の裸体

マネの《オランピア》で描かれた痩せ型の裸の女性が、理想的なカーヴィボディではなかったことで「メスゴリラ」などと批判を受けたように、裸体像には「こうであるべき」という暗黙のルールがありました。

これは、ルネサンス以前のアートで、女性の身体よりも「高級」なものとして扱われ、裸体像の中心を担ってきた男性についても同じです。女性ではなく男性の裸体であればオールオッケー！　というわけではもちろんなく、男性の場合は、筋骨隆々としてたくましい身体が理想的とされていました。

逆に言えば、筋骨隆々でない、理想的でない男性の裸体をモチーフにしたものは極めて少なく、女性に比べて上位に位置付けられてきた男性の身体であっても、アートではほとんど扱われてきませんでした。

それを踏まえて、鷹野隆大（1963-）の「ヨコたわるラフ」シリーズから《Kikuo（1999.09.17.Lbw.#11)》（１９９９年）（図４-４）を見てみましょう。本作は、鷹野が余ったフィルムを終わらせるために偶然撮影した写真を起点に制作されました。鷹野自身も改めてこの写真を見た時「醜い」と感じ、「これを作品にしていいのか」と葛藤したと言います。それ以前は、撮影する光景を作り込み、コントロールする「セットアップ」の手法で写真作品を制作していた鷹野でしたが、なぜかその「醜い」裸体に惹かれ、その後の制作の方針が転換するほどのショックを受けたのだと言います。

「ヨコたわるラフ」シリーズが、そのポーズや構図において《ウルビーノのヴィーナス》や《オランピア》を踏襲したものであることは明白です。

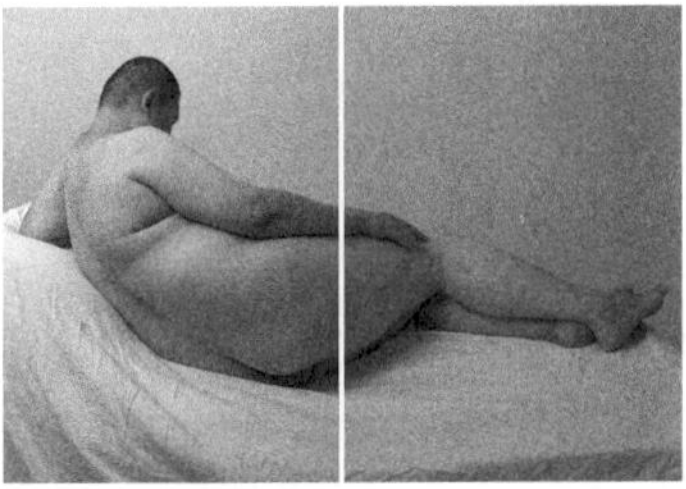

図4-4　鷹野隆大《Kikuo（1999.09.17.Lbw.#11）》「ヨコたわるラフ」シリーズより　1999年

　しかし、鷹野の《Kikuo（1999.09.17.Lbw.#11）》の筋骨隆々としているのではない、でっぷりとしたアジア人男性の寝そべった裸体は、かつて「はしたない！」と言われた《オランピア》よりもはるかに生々しい「ネイキッド」であり、理想的な男性の「裸体像」とはかけ離れているように感じられます。

　個人的にはこの鷹野の写真を見ると、画面に占める皮膚の面積の広さに意識がいきます。生身の人間においても、例えば鍛えあげられデザインされた身体はそれ自体が「彫刻のような体」と、ある種の創作物のように扱われることがあります。他方、《Kikuo（1999.09.17.Lbw.#11）》では、意図が浸透しきっていない、コントロールもデザインもされていない身体が写真の画面内の皮膚の面積の広さに表現されています。いわばこれまでのアートのなかで余白や余剰のように扱われていたもの、削《そ》ぎ落とすべき脂肪のようなもの、その余剰分が中心に置かれた作品とも言えるでしょう。

また、バークリー・L・ヘンドリクス（Barkley L. Hendricks 1945–2017）の作品《Family Jules: NNN（No Naked Niggahs）》（１９７４年）（図４-５）も、鷹野の「ヨコたわるラフ」シリーズと同様に伝統的な裸体画のスタイルを引用して制作された男性ヌードの作品と言えます。

ヘンドリクスは、１９６０年代にヨーロッパを訪れ、ディエゴ・ベラスケスやアンソニー・ヴァン・ダイクのような１６００年代の肖像画に関心を持ったと言います。美術大学の学生だった彼は各地で西洋美術の名作を間近に見ましたが、行く先々で、黒人がほぼ全く描かれていないことを噛み締めます。ヨーロッパの白人中心のアートの歴史においては、彼の人種（を描いた像）は完全に周縁に置かれ、不在だったのです。

そこでヘンドリクスは、下位・周縁クラスに位置付けられてきた者による「自分（たち）

を表象する権利」を行使し、彼が憧れた伝統的なアートの手法にならって同時代の黒人男女のポートレートを多数描きました。

また、ヘンドリクスは、確かな写真の腕も持っていました。これは、事物を淡々と静的に記録していく写真家ウォーカー・エヴァンス（Walker Evans 1903-1975）の作風に強く関心を持ったことからエヴァンスに師事して写真を学び、習得した技術です。彼は「カメラ」を「メカニカル・スケッチブック」と呼んで、ストリートで写真を撮りながら絵画のモチーフやモデルを探しました。撮影したのはそれぞれに自分らしいおしゃれを楽しむ黒人の男女でしたが、ヘンドリクスは「観察者」の視点ではなく、自らストリートに足を踏み入れ「自分たち」による「自分たち」の表現としての彼ら・彼女らの姿をとらえたのです。それらの写真には、撮影され、展示されることの喜びが溢れています。

図4-5　バークリー・L・ヘンドリクス《Family Jules: NNN (No Naked Niggahs)》1974年

しかしながら《Family Jules: NNN (No Naked Niggahs)》は、黒人男性のポートレートであるだけでなく、それが裸体であるということから、展示の機会は多くはありませんでした。

というのは、白人（の身体）を上位・中心クラスに据えるように秩序づけられた世界では、黒人が性犯罪や野蛮さと結びつけられてきたために、黒人を性的に描いた作品が、そうしたステレオタイプを強化する恐れがあるものとして暗に規制されていたのです。

そもそも黒人のポートレート自体が、白人のそれと比較すれば少なかったのですが、黒人を「尊重」するという名目もあり、それが裸体となればなおさら、人の目から遠ざけられてきました。実際、ヘンドリクスも、アラバマ州の美術館で個展を開くための交渉のなかで、美術館側からセルフ・ヌードを含む裸体画の展示を許可されなかったために、個展の開催を自ら辞退しています。

特に《Family Jules: NNN（No Naked Niggahs）》はモデルとなったヘンドリクスの友人のジョージ・ジュールス・テイラーがゲイであり、そしてヘンドリクスが異性愛者だったことから、この絵が対立を招く可能性があるとして「懸念」されました。つまり、黒人であると同時にゲイである人物を描くことが、黒人を「尊重する」という名目で取り締まられてきたということです。

さて、この絵画を「男性のまなざし」というツールを通じて読み解いてみれば、ジュールスはヘンドリクスの欲望の対象ではなく、相互に敬意を払い合うことのできる友人であり、異性愛者のヘンドリクスの欲望を絵画に反映したものではありません。いわば、この絵は「男性のまなざし」を踏襲することを退けながらも、これまで描かれてこなかった下位・周縁の存在をアートの歴史のなかに位置付けたと言えます。

ちなみに、ヘンドリクスはそうではありませんでしたが、黒人コミュニティの内部では、同性愛に対する嫌悪感や、黒人女性に対する【らしさ・こうであろう・こうであるべき】の押し付けは大変根強く残っています。ヘンドリクスが黒人の同性愛者の男性の裸体像を展示できなかったのも、「黒人」の権利を獲得する・守るという目的ではあったかもしれませんが、結局のところ、抑圧者が作り出した秩序に沿った表現の規制にほかなりません。

男性の異性愛を「上位・中心」とする黒人コミュニティの傾向について、黒人女性であるベル・フックスはこれを「男根中心主義的な黒人男性性」と呼びました。そのなかで、ヘンドリクスがジュールスを描いたこの絵画は、異性愛男性の欲望を前提とした「男性のまなざし」を排除することによって、男性の欲望を中心とした「男根中心」であることから脱却し「黒人男性」のあり方の多様性を示したものと言えます。

◉シェリー・レヴィン――「白旗」が示すアートワールドの性差別

シェリー・レヴィン（Sherrie Levine 1947-）の作品《ウォーカー・エヴァンスにならって》（１９８１年）（図4-6）は、ご覧の通り、ウォーカー・エヴァンスの作品《アラバマ州の綿花栽培農家の妻》（１９３６年）（図4-7）と、ほぼ全く同じ作品に見えます。

実物は、レヴィンの作品のほうがわずかに不鮮明ではありますが、実はこの作品はレヴィンが、ウォーカー・エヴァンスの特によく知られた作品を撮影（複写）したものです。

このように、既存のよく知られた作品や広告などのイメージを（ほとんどそっくりそのまま）流用し、異なる文脈に置き換えて提示する手法を「アプロプリエーション（盗用）」と言います。

レヴィンが撮影したエヴァンスの写真は、世界恐慌後のアメリカで実施された「ＦＳＡ（農業安定局）プロジェクト」の一環で撮影されたもので、この農家の妻のポートレートは「開拓者の夫を支える慎ましい妻」という理想のイメージとして、１９３０年代の古き良きアメリカ南部を象徴し、エヴァンスの代表作のひとつになっています。エヴァンスの写真はいわゆる「ストレート写真」で、創意工夫や作家性が際立つ写真というよりは、静的で淡々

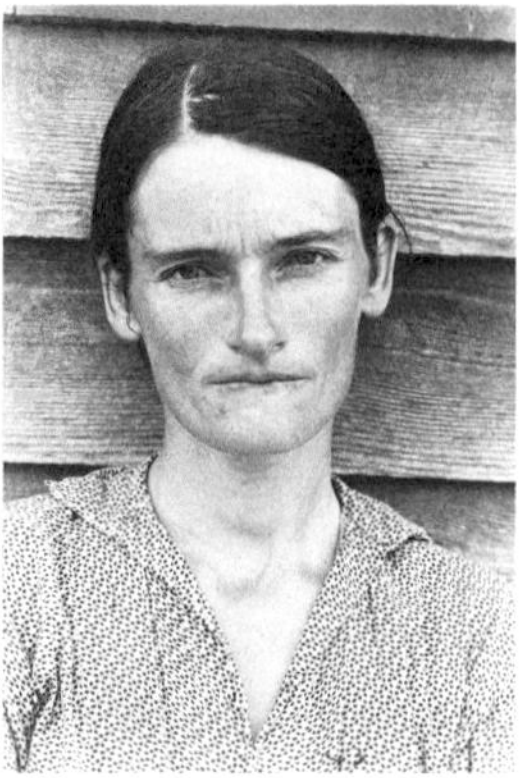

（左）図4-6　シェリー・レヴィン《ウォーカー・エヴァンスにならって》1981年
（右）図4-7　ウォーカー・エヴァンス《アラバマ州の綿花栽培農家の妻》1936年

としているために、記録の側面が大きいといえます。

逆に「記録」に徹する彼の、撮影への真摯な態度と丁寧なプリント方法は、被写体となった人や家族、街、暮らし向きなどを鑑賞者に読み取らせるものでした。

そうしたエヴァンスのスタイルに、バークリー・L・ヘンドリクスも影響を受けたのは前述した通りです。

では、レヴィンは、エヴァンスの写真を「アプロプリエート」することで何を伝えようとしていたのでしょうか。

１９８６年に彼女はこんなふうに語っています。

女性として、私の入る余地はないと感じていました。今の絵画はすべて、男性の欲望を表現したものです。芸術のシステム全体が、男性の欲望の対象を賛美する方向に向かっていたのです。女性アーティストとして、私はどこに身を置けばいいのでしょうか？

ここでレヴィンが「私が入る余地はない」と言っているのは、アートワールドおよび美術史に対してです。彼女は、あるアート作品をアートとして認めるシステム（制度）におけるジェンダーの不平等を感じていたのであり、既存の有名な写真を使いこれを批判しようとしました。過度に男性中心的な美術史のなかでは女性としての自分（と自分の作品）の居場所がないのだ、と。

いわばこれは、どんなに斬新で、卓越して、洗練された作品を発表できたとしても女性であるわたしたちの作品は正統に評価されないじゃないか、だったらこうしてやる！　というような開き直りのお手上げ宣言。もはや新たにオリジナルのイメージを作ることすらできないと、白旗をあげるようなものです。

これに対して「まじめに作ればいいのに」「自分の表現にチャレンジするべきだ」「負け惜しみ？」と思う方もいるかもしれませんが、実際、レヴィンがこのように発言した年には、ゲリラ・ガールズがアートワールドから女性が締め出されていることを数字とともに示していました。あれらの数字を踏まえればレヴィンのアプロプリエーションという手法は切実な選択肢であり、戦術だったと言えます。

つまり、この「お手上げ」状態から生まれた作品にははっきりと意図があり、レヴィンも女性として表現することを諦めたわけでは決してないのです。このようにして、彼女がかかげた白旗はひるがえってこのアートワールドに連綿と続く性差別があることを示す目印になっています。

◉バーバラ・クルーガー――「声をあげるアート」の代表作

バーバラ・クルーガー（Barbara Kruger 1945-）は雑誌や広告などに掲載されたイメージに、短いキャッチコピーを組み合わせる手法を用いるアーティストで、ストリート・ファッションブランド「Supreme」のロゴマークの元ネタとしても知られています。また、２０２２年にアメリカの最高裁判所で、人工妊娠中絶を女性の権利として認めたロー対ウェイド判決（１９７３年）が覆されたのを受け、１９８９年のクルーガーの作品《あなたの身体が戦場

(Your Body is Battlegroud)》（1989年）（図4-8）は再度注目を集めています。

この作品は、1989年にアメリカ・ワシントンで中絶の権利を守るために開催されたウィメンズ・マーチを支持するためにバーバラ・クルーガーが制作したもの。

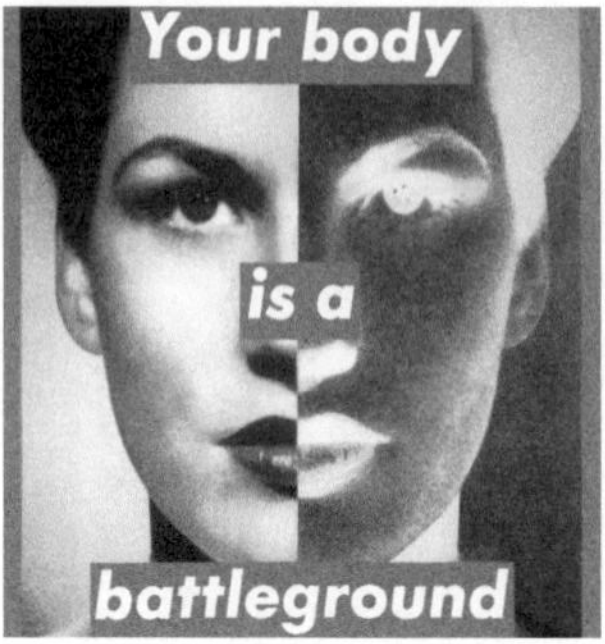

図4-8　バーバラ・クルーガー
《Untitled（Your body is a battleground)》
1989年

中絶の是非をめぐっては、プロ・チョイス派（中絶の権利＝女性の自己決定の権利を支持する）とプロ・ライフ派（胎児の生命を尊重するという観点から中絶を認めない）の対立が現在まで続いています。フェミニズムでは、女性の意思を尊重する観点や、身体を誰にも支配されない権利を守るという観点から基本的にプロ・チョイスの立場をとります。それは、「プロ・ライフ」の考え方が、性被害に起因する「望まない妊娠」による中絶すら認めず、女性を「産む性」、いわば、「産む機械」と想定するような観念と結びついているからです。

クルーガーの「あなたの身体が戦場」というフレーズは、まずもってこの議論が女性の身体をめぐる対立である、ということを示すものです。つまり、彼女は、あくまで「プロ・チョイス派」の立場から、そもそもこのように女性自身の自己決定を認めない議論が起こっていること自体に対して率直に不服を表明しています。そして同時に、このフレーズは中絶をめぐる議論を、自分ごととして考えてもらうための言葉のようにも読み取れます。あるいは、妊娠する女性の身体は常に戦場のように2つの命がせめぎ合う場所であることを示しているかもしれません。

このようにクルーガーはこのほかの作品でも、簡潔でありながら多層的かつ具体的な読み取りができるメッセージを提示しています。社会に対して声をあげるフェミニズム・アートを代表するアーティストと言えるでしょう。

◉長島有里枝――性的に消費されないための戦略

レヴィンやクルーガーと同様に写真を使い、女性（の身体）が、「男性のまなざし」に支配された商業的な写真のなかにどのように置かれてきたかに目を向けたのが長島有里枝(1973-)です。

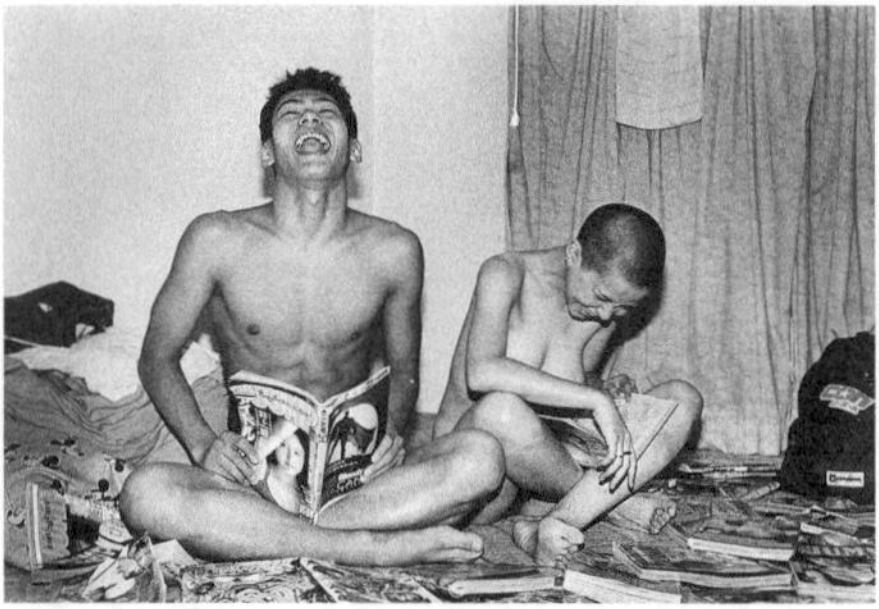

図 4-9　長島有里枝《Self-Portrait (Brother #34)》
1993年

長島が、一躍名を知られることになったのは、彼女が家族とともに自ら被写体となったヌードのポートレートのシリーズでした（図4・9）。

一見「家族写真」でありながら全員が裸で写っている異様さや、そして坊主頭の若い女性が自らヌードになっている写真には良いものも悪いものも含めてさまざまな注目が集まりました。

奇《く》しくも、長島が本作を発表した頃、セルフ・ポートレート作品を発表していたＨＩＲＯＭＩＸや独自の「極彩色」という表現手法を自分のスタイルとして確立した蜷川実花などの女性写真家も注目を集め、「女の子写真」や「ガーリーフォト」と称されてひとつのムーブメントになりました。このブームはアートや写真といった限定的なシーンではなく、カルチャーシーンを風靡《ふうび》し、若者の間ではインスタントカメラで日常を記録することが流行しました。

長島が本作を制作した背景には、当時の「ヘアヌード」ブームや、大学でのヌードモデルの経験を通じて、女性が「自分がどういう人間なのか」よりも、男性の（視覚的な）欲望を実現する対象にされ、性的に消費されつづけることに違和感を覚えたからだったと言います。なぜか、メディアにおける女性の「裸」は、性的な欲望を喚起する「もの」にされてしまう。異性愛者の男性の欲望を前提とした「対象」にされてしまう。

このような「男性のまなざし」が支配的な状況において、長島は自分の裸が性的に消費されない方法として「家族写真」という形式を使ったのでした。

長島は雑誌『ＩＭＡ』のインタビューに「家族と裸になれば、インセストタブーという概念が想起され、鑑賞者がわたしの裸体を性的対象として眺めることは難しくなるだろうと考えていました」と語っています。家族写真という形式をとることにより近親相姦をタブー視する無意識の感覚を立ち上がらせることで、鑑賞のなかで性的な「対象」にされることから自分（たち）の「裸」を守ろうとしたのです。対象としてのヌードになるのではなく、ネイキッドであることによって消費に抗う意図がありました。ですから当然、長島の家庭がいわゆる「裸族」だったとかというわけではなく、このセルフ・ファミリー・ヌード・ポートレートはあくまで戦略的なものでした。

　しかしながら、長島を含む当時の若手女性写真家たちの作品は、主に男性の批評家らによって、「直感的」で、「軽やか」で、「衝動的」だと「褒め称え」られました。加えて、「無知」で技術的に「未熟」であることが、彼女たちに共通する（好ましい）特徴とされ、長島の作品はフェミニズム的な意図を持ったものと真面目に受け取られず、あたかもカメラを持った不思議な女の子たちのひとりのように扱われてしまったのでした。

　このことは、長島の著書『「僕ら」の「女の子写真」からわたしたちのガーリーフォトへ』（大福書林）で詳しく語られています。このタイトルにある「僕ら」は、男性批評家をさします。彼らは、一応は「女の子写真」を褒めているので、一見、女性写真家の味方のようにも見えるかもしれません。しかし、「女の子は直感的」「女の子は技術的に未熟」という「褒め方」に終始していました。これは女性写真家を下位・周縁クラスにとどめおき、写真業界においてあくまで異物として扱う「よそ者化」そのものでした。また、過度に男性中心主義的な写真批評の限界をあらわしてもいたと言えるでしょう。

　そのことを告発した長島の著書は、長島の他の作品と同様に、性差別に対する当事者からの異議申し立てであり、彼女の活動においても重要な位置を占めていると言えます。より詳しく知りたい方はぜひ読んでみてください。

◉マイク・ケリー――「手芸」をアートに取り込む

マイク・ケリー（Mike Kelley 1954-2012）はぼろぼろのぬいぐるみの彫刻作品で知られるアーティストで、バーバラ・クルーガーらのような力強いメッセージ性を持った作品と比べると、これがフェミニズム・アートと言えるの？　という感じがするかもしれません（図４-10、次ページ）。

彼のぬいぐるみはロック・バンド、ソニック・ユース（Sonic Youth）のアルバムのアートワークとしてもよく知られ、顔や手足のパーツが取れていたり、ちょっと不細工でぎこちない作りで、グロテスクですらあります。実は、このぬいぐるみはケリーによる手芸で作られた彫刻作品です。

実は、アートワールドのなかで、「手芸」はアートの手法としては長らく認められてきませんでした。それは、「手芸」が、家庭にいる女性（妻や母）が生活のために行うものであって、高尚な芸術作品を作る手法としては適していないと考えられていたからです。

図 4-10　マイク・ケリー《Ahh...Youth!》1991年

そのなかで、「彫刻作品として」ぬいぐるみを作る彼の試みは、まさに「手芸」をアートに取り込んだものでした。そして、「彫刻」という言葉でイメージするものとして、「ぬいぐるみ」はかなりやわらかいものであり、それをしかも男性が作っているというところに大きなギャップがありました。

逆に言えば、このような「手芸」でありながら「アート」になることができたのは、彼がアメリカで美術教育を受けた白人の男性であり、「手芸」以外の作品も作るアーティストであったということが有利に働いた可能性がありますが、彼は、自身が白人男性であることによって上位・中心クラスに位置付けられていることを自覚していました。そして、男性の欲望を中心にする「男根中心主義」から降りるという意味で「去勢のシンボルになりたい」とも発言していました。

この発言は、彼のルーツに由来しています。実は、ケリーは数々のインタビューのなかで自身がブルーカラー＝肉体的な労働者階級クラス出身のアーティストであることを強調しています。つまり彼は白人の男性ではありますが、労働者の階級という点から見れば、ホワイトカラーの管理職から指示を受ける立場の下位・周縁クラスに属しており、幼少期から家庭でアートの話が飛び交うなかで育ったようなアート・エリートではなかったのです。

そんな彼でしたから、このようなぬいぐるみの作品を作るようになったのは、ある意味では自然な流れにも思えます。ケリーは美術大学でコンセプチュアルな教育を受けていくうちに限界を感じたことが、このシリーズのきっかけだったと言います。洗練され、悪く言えば理論武装された、上位・中心クラスが作り出すエリート的「アートワールド」の論理ではなく、自分の労働者階級としてのバックグラウンドに基づいた作品を作ろうと試みたのです。

また、彼の「ぬいぐるみ」は、労働者階級の間でやりとりされる値段のつかない「手作りのもの」の交換にも着想を得ていました。例えば、作りすぎたおかずのお裾分けとか、アクリル毛糸で編んだたわしなどをご近所同士で交換するようなものでしょうか。こうした手作りのものの交換を下敷きにすることで、ケリーは国際的に形成された経済のルールに縛られることを避けようと試みたのです。

ぬいぐるみの作品が作られた当時のアートワールドでは、例えばジェフ・クーンズの《マ

図4-11　ジェフ・クーンズ
《マイケル・ジャクソンとバブルス》
1988年

イケル・ジャクソンとバブルス》（図4-11）のような磁器の置物を巨大化した作品を含むシリーズなど、大量生産品をモチーフにした商業的なアートが注目を集めていました。そのなかでケリーは、「手作り」っぽいアートを作ることで商品化されることから逃れることを試みたのです。

　加えて、ケリーは、人類学者のマルセル・モースが『贈与論』で述べているように、何かを「贈与」することは、相手に貸しを作ることだということも同時に強調します。「返礼をしなくてはならない」という義務が発生し、贈与された側は「この間、肉じゃがをもらっちゃったから、筑前煮を多めに作ってお裾分けしよう」なんていうことになる。

　このように経済活動から外れた「（不気味な）ぬいぐるみ」の「アート」の贈与で生じる返礼の義務は、人によってはなんだか重く感じるでしょう。このちょっとした「呪い」の効果が、ケリーの作品が持つパワーと言えます。

そうすると、たちまちこのぬいぐるみたちの見た目の造作にも説得力が生まれてきますし、アートを既存の経済活動から逸脱させようとする意図も見えてきます。

さらに、こうした手作りの「ぬいぐるみ」は、打ち捨てられる運命にもあります。彼の作品《ahh...Youth!》（１９９１年）はにきびだらけの若い頃の自身のポートレートと不気味なぬいぐるみたちを並べることで、失われる運命にある自分を象徴しているかのようです（彼自身は２０１２年に自死しています）。

また、商業的にはほとんど価値のつかない「手芸」として本作が制作されたことは、「家事全般」が無償労働であることも象徴しているようにも読み取れます。１９７０年代のフェミニストたちは、家事労働が無償労働であることに着目し、その搾取を前提とした性差別の構造（家父長制）を批判していましたから、それをアート作品としてアートワールドに組み込むことには意義があるのです。

家父長制の社会のなかで、男性が「手芸」をして、やわらかくてグロテスクなぬいぐるみを作ることは、その間の抜けたような見た目に反して、このようにはっきりとしたイデオロギーの表明になっています。

◉レイチェル・ホワイトリード――「家」という小さな社会に隠されているもの

マイク・ケリーがぼろぼろのぬいぐるみを作った一方で、「私は幸運にも、男性が作るのが難しいような、タフな作品や大きな作品を作ることができました」と語るのは、レイチェル・ホワイトリード（Rachel Whiteread 1963-）です。

彼女はイギリスの女性アーティストで、キャスティング（鋳造）と言われる手法を一貫して用いています。キャスティングとは、液体化した金属やガラス、石膏、樹脂、コンクリートなどを型に流し込む手法のこと。彼女がキャスティングするのは、日用品や、ベッドの下や椅子の下などの空間で、時には部屋や家全体にまで及びます。いわば、空間の内側の立体的な「ネガ」を作り、そのネガ自体を作品にしているのです。彼女自身はその手法について「部屋の空間をミイラ化する」と説明しています。

彼女の作品のなかでも伝説となっているのは、取り壊される予定だった1軒の家の内側をかたどった作品《無題（家）》（1993年）（図4-12）です。

ロンドン郊外の取り壊される予定だった一軒家の内部を型取り、地下1階・地上2階の家の内部をすべてコンクリートで鋳造し、最後に「型」となった建物を壊すことによって、空間を、物質を伴った実物大の彫刻として立ち上がらせた作品です（ちなみに、重くてどこにも移動することができないために、この場所で取り壊されてしまいました）。

彼女の作品は、対峙したときに「こんな大きなものを型取ったんだ！」という驚きだけで十分楽しむことができるものと言えますが、かつて誰かが暮らしていたであろう「空間」を、物質で満たして窒息させる手法には、「ミイラ化」と言うように不気味さも漂います。

ホワイトリードの作風の背景には、ミニマリズムからの影響があります。

近年では一般的に「ものをあまり持たない暮らし」を「ミニマリズム」と言ったりもしますが、アートにおけるミニマリズムは、ロバート・モリス（図4-13、次ページ）やドナルド・ジャッドなどのアメリカのアーティストに代表されるムーブメントです。人為性をほとんど感じない、ただの立方体や円柱、四角く同じかたちに作られた小さな角材、そして幾何学的な図形の連続や展開で構成された絵画や彫刻などがそれに当たります。

図4-12
レイチェル・ホワイトリード
《無題（家）》1993年

図4-13　ロバート・モリス
《Untitled》1965年

わたしはこのミニマリズムこそ、詳しい人に聞かないと、見方がわからないアートの代表的なものだと思っているので、ここで少し説明しておきましょう。

ミニマリズムの鑑賞の仕方を的確に言い当てたのが、このムーブメントを批判しようとしたマイケル・フリードの「芸術と客体性」というテキストでした。このテキストはミニマリズム彫刻を批判するために書かれたのですが、その批判が結果的にこれらの彫刻の価値をとてもクリアに解説してしまったという、奇妙な、そして最もよく知られたミニマリズム論です。

なお彼はミニマリズムをこのテキストのなかでは「リテラリズム」と呼び、このように述べています。

かつての芸術においては、「作品から受け取られるべきものは、厳密に［その］内部に位置している」のに反して、リテラリズムの芸術の経験は、ある状況における客体の経験である――それは実質には定義上、観者を含んでいるのである。

ちょっと難しい言い回しです。彼が述べたのは、わたしたちが本書でこれまで見てきた作品を含む美術史上のあらゆる作品が、その作品の内容（例えば絵画のキャンバスのなかに描かれたイメージや記号、彫刻であればその像の造形や表情など）を見るものであるのに対し、ミニマリズムの作品は「ただのツルツルの立方体で見るべきところがないじゃないか！」ということでした。「何を見ろって言うんだよ！」とツッコミを入れたのですね。わたしもそう思います。

実際、確かにこれらの作品自体には、見どころとなるような超絶技巧やストーリーがあるわけではなく、全く空虚です。よって、鑑賞者たちはなんだかよくわからないこの物体と自分との距離を測るために近づいたり離れたりするし、何か意味があるのかな？　と思案して裏側に回ったりと、作品のまわりをうろうろすることになります。

このように、鑑賞者の「うろうろ」を強いる作品の構造をフリードは「演劇的」だ、と言いました。つまり、この作品が置かれた空間は一種の舞台のようになり、鑑賞者は展示室を動き回ったり、作品が置かれる状況それ自体に意識を差し向けることになる。この鑑賞者の

「踊らされている感」が演劇っぽい、というわけです。

この「演劇的」は、フリードにとってはディス（批判的な言葉）のつもりでした。しかし、このディスり目的のテキストが、皮肉にも当時、最も的確にミニマリズム（フリードの言葉ではリテラリズム）の見方・評価の仕方を説明するものでもあり、現在でも参照すべき重要なテキストとなっています。

さて、ホワイトリードの話に戻ると、椅子の下をかたどった作品《Untitled (Sixteen Spaces)》（1995年）（図4‐14）は16脚の椅子の下の空間をかたどった16脚の樹脂のキューブから成るもので、サイズや凹凸などで元の椅子の「反転された」特徴をわずかに残してはいるものの、立方体をただ並べるタイプのミニマリズム彫刻の特徴を持っていると言えます。

ただし、ミニマリズムと異なるのは、意味深なだけの幾何学的なかたちにとどまらず、そこには存在しないけどオブジェの元になった「型」を想像させる点と、その椅子をめぐって誰かが暮らしたかもしれないことも同時に想起させる点にあります。いわば、ホワイトリードの作品は「演劇的」なだけでは終わらず、鑑賞者を突き放したり泳がせたり踊らせたりすることのない、比較的あたたかいミニマリズムです。

さらに、ホワイトリードが扱う「家」というテーマは、当然、女性は男性の家長のもと、妻や母親として家にいるべきだという家父長制の考え方とも関連しています。

というのも、ホワイトリードは幼少期からフェミニズム・アーティストであった母のアトリエで、母とともにコラージュや貼り絵をし、その制作のなかでも、男性が作るようなもっと大きなものを、あるいは男性でも作るのが難しいと思うような大きなものを作りたいと感じていたと言います。

図4-14　レイチェル・ホワイトリード
《Untitled（Sixteen Spaces）》1995年

また、ホワイトリードは、部屋や家をキャスティングした作品をめぐって、「私があらわにしたかったのは建物の内装に隠されている本来の骨格にほかなりません」とも述べています。この言葉を踏まえて彼女の作品をフェミニズム的に読み解いてみましょう。

彼女の作品《ゴースト》（１９９０年）は、暖炉のあるリビングルーム全体の空間を具現化した作品です。それが「ゴースト」という名前を持つことは、上位・中心と下位・周縁に秩序づけられた社会構造＝「家父長制」の犠牲としてたびたび「人外」としてよそ者化されてきた女性の存在をも想起させます。

例えば、日本のフェミニストである田嶋陽子（1941-）は、都会的で進歩的な夫の陰に隠れ、それを支える女性の存在を「お化け」と呼びました。

> 例えば、ハンコ屋さんに行って、おじさんといろいろ話をします。おじさんは、スーツを上手に着こなしたりして、なかなかスマートです。ところが、話の途中で用事を思いだしたのか、キッとうしろをふり向くと、とつぜんその笑顔がべつの顔になるときがある。その顔で、「オイ、あれはどこへ行った」と言う。すると、「ン?・」とか「ハイ」とか言ったり、ときにはだまってヌウッと出てくる人がいる。それが私の言う〝お化け〟なんです。そうやって出てきた人は、だいたい、灰色っぽいか褐色っぽいかエンジっぽいか、そんな色の印象なんですね。くすんだ色の細かい花柄のかっぽう着などを着て、お化粧なんかしていませんから、顔も褐色で。（中略）いわゆる主人と呼ばれる人たちの国際化はみんな、「ン?・」と言って、ヌウッと出てくる主婦によって支えられている、つまらなそうな顔をした褐色とエンジ色と灰色に支えられているということです。

ここで田嶋が述べているのは、一見、進歩し国際化した都市のなかでも、女性は男性の華やかな活躍を支える存在として、お化けのように陰に隠れている、そういう旧態依然としたちっとも進歩的ではない構造が温存されているということでした。

この田嶋の言葉を踏まえてホワイトリードの言葉と作品を読み解くと、「家」という小さな社会に隠されている「本来の骨格」とは、女性が「お化け」のようによそ者化され、家庭内で奉仕する役割だけが割り当てられている構造、その骨格のことを指していると読み取ることもできます。

そのうえで、家の「骨格」ではなく目に見えない「空間」を強調する手法は、それまで社会の周縁に置かれていた家庭の内側を目を向けるべき「中心」に転じさせる行為なのです。

◉サイモン・フジワラ——イメージに傷つけられた人生を克服する

フェミニズム・アートのなかには、アーティスト自身や身の回りの人の傷つきの経験を自ら改めて演じたり再構築したりすることによって、個人的な問題として生じた差別を、構造的な問題として改めて問題提起する作品があります。

サイモン・フジワラ（Simon Fujiwara 1982-）の《ジョアン》（２０１６年）（図4‐15）はまさにそのような作品です。

サイモン・フジワラの高校時代の教師だったジョアンは、美術の教師で、いわゆるミスコンの優勝経験者であり、モデルや、アクティヴィスト、ボクサーとしても活動するなど多彩な人物でした。学生時代のフジワラはとてもジョアンに心を開いており、仲が良かったそうです。

フジワラの卒業後、数年経ったある時、ジョアンのトップレスの写真が、彼女が勤務する学校の男子学生によって同じ学校内の学生数百人に拡散されたことがわかり、そのことが校内にとどまらず「トップレス教師」として広く報じられるという事件が起こりました。

ジョアンは職を辞することになり、「トップレス教師」のレッテルが一生付きまとうだろう、と強い不安を抱えることになったと言います。いわば、ジョアンは、写真のイメージによって、他者が彼女に抱くイメージや、彼女が自分自身について思い描くイメージ、そして彼女の人生のヴィジョンまでもが支配されてしまっている状態に陥ってしまったと言えるでしょう。

そこでフジワラは、ジョアンに、共同での作品制作を通じて自分自身を再提示し、自分を社会や自分自身の中に再度位置付ける方法を考えてみることを提案し、その結果としてこの《ジョアン》という作品が生まれました。

《ジョアン》は、約13分の映像と、ファッション・フォトグラファーが撮影したアスリートのような姿のジョアンのポートレートによって構成されるインスタレーションです。

図4-15　サイモン・フジワラ《ジョアン》2016年

映像は、高精細でプロフェッショナルな撮影技術による美しいものから、自分のスマホで撮られたセルフィーなどさまざまなフォーマットによって構成されています。

内容は、彼女がトレーニングに励む様子や、くつろいでいる風景、泣いたり、笑ったり、ふざけたり、太陽の光が降り注ぐベッドルームで撮影されたドラマチックなシーン、そして、スタジオでのプロフェッショナルなセッティングによる撮影なども含む非常に多様なものになっています。

なぜこのようにいくつもの写真や動画が撮影されたの

かというと、これらは、より多くのイメージによって、トップレスのイメージをインターネット上からできる限り駆逐する（完全に消すことは不可能）取り組みだったからです。

作品においてジョアンは「私はモデルであり、教師であり、恋人であり、アーティストであり、カメレオンであり、ファイターであり、私は人間です。そして私は女性です」と語っています。スタジオで撮影されたイメージで登場するカメレオンは特に象徴的で、ジョアンが何か単一のイメージに収まる人物ではなく、さまざまなシーンに沿って自身のイメージをころころと変えられる人物であることを暗に示しています。

しかし、「単一のイメージに収まる人物ではない」というのは、本作の主人公となったジョアンだけではありませんよね。男でも、女でも、あるいはどんなジェンダーであっても、多くの人がカメレオンのように特定の場所や環境に対応した自分を持っています。そのようなひとりの人物を、ジェンダー規範に当てはめるのが「ジェンダー・ステレオタイプ」であり、ジョアンの被害はジェンダーに基づくイメージによって彼女と、彼女の人生をも支配するものでした。フジワラは作品《ジョアン》を通じて、イメージによって傷つけられた自己を、イメージによって塗り替えることの可能性を示したのです。

◉シンディ・シャーマン
——自分を消し去るフェミニズム・アーティストの代表格

フェミニズム・アーティストたちには、表現方法として写真を使うアーティストが多いですが、シンディ・シャーマン（Cindy Sherman 1954-）はその代表格。現代美術の最重要アーティストのひとりです。しかし、彼女を初めて知った大学生の頃のわたしには、いまいち彼女の作品の重要性がしっくりきませんでした。

図4-16　シンディ・シャーマン
「Untitled Film Stills」シリーズ

「Untitled Film Stills」シリーズ（図４‐16）は、フィルム・ノワールやＢ級映画で繰り返し登場する、女性が監視されているシーンや、孤独な感じのする女性など、いかにもこれからひどい目にあいそうな不穏さをまとった女性を模して、自らモデル、メイク、コスチューム、演出まで行い、スティル写真（宣伝等で使用するため、映像作品の１シーンをとらえた静止画）のスタイルで表現したシリーズです。

この作品は、批評家たちによって「男性のまなざし」中心の視覚文化における「ジェンダー・ステレオタイプ」を可視化した作品として高く評価され、シンディ・シャーマンのキャリアにおいても、美術史においても、重要な作品となっています。

おそらく大学生の頃のわたしにとってこの作品の重要性がどうもしっくりこなかったのは、本作の解説としてたびたび目にする「ジェンダー・ステレオタイプ」や「男性のまなざし」の意味がよくわからなかったこと、そして、似たようなシーン・似たような雰囲気の女性を自ら演じ、巧みな技術を用いることなく自ら撮影されたセルフ・ポートレートが、パッと見ただけでは、クオリティの低いものまねかコスプレをしているだけの素人の写真にしか見えなかったからでした。

見た目には単なる「素人のものまね写真」にしか見えないシャーマンの作品の重要性を理解するのに必要だったのが、やはりツールとしてのフェミニズムであり、そのなかでも「男性のまなざし」ツールでした。

「Untitled film stills」について、シャーマンはこのように述べています。

私は自分について名乗ったり、明らかにしたりするよりも、自分自身を消そうとしています。私の作品を見た人は、私が秘密のファンタジーか何かを表現しようとしていると思っています。でも、本当に私がしようとしているのは、キャラクターの中にいる自分を消し去ることなのです。

彼女はこのように述べて、彼女が作品でやろうとしていたことが「B級映画に出てきそうな女の子のコスプレ」によって映画の物語世界を作り出すことではないと明らかにしています。つまり、シャーマンは社会において女性が担わされてきた役割（ジェンダー・ステレオタイプ）を自ら演じて成りきってはいますが、物語を作ったり、台本に沿ったりしていたわけではなく、むしろ「自分を消し去ること」をこそ目的にしていたと言うのです。このように、シャーマンが目指していたのは映画における女性の【らしさ・こうであろう・こうであるべき】だけを抽出し、それを演じきることでした。

実際、彼女が言うように、女性は、時にジェンダーによって自分を消さなくてはいけないと感じることがあります。

例えば、母親らしさ、妻らしさ、女子学生らしさなど、女性にはさまざまな「らしさ」が求められます。多くの女の子が幼少期には「女の子らしくしなさい」と言われた記憶があるでしょう。まさにそれは女性の間に世代を超えて受け継がれるジェンダー・ステレオタイプですが、そういったジェンダーに基づく「らしさ」をめぐる経験のなかでも最も深刻なものが、「被害者らしさ」かもしれません。特に性犯罪・性暴力の被害にあった女性には「被害者らしさ」が求められることがよくあります。

例えば、性犯罪事件発生時、被害者がどれほど抵抗したのか、「落ち度」はなかったのか、事件後にどれくらい落ち込み、どれくらい重いＰＴＳＤを負ったのかが議論になったり、被害者が人前に出て声をあげると「被害にあった人らしくない」とか、「深く傷ついている人ならこんなところに出てこられないはず」と言われることがあります。挙句の果てには「その後の日常を楽しめているということは、被害はでっちあげではないか」と言われることすらあります。そして、被害者自身がこのような目線や意見を内面化してしまい、自分らしさを失って「被害者らしく」振る舞うようになってしまうことさえあります。

これが典型的な「二次加害」というものですが、性被害の二次加害に限らず、このようにして社会化された「らしさ」のために「その人らしさ」が消し去られてしまうことが実際にあるのです。

なお、もちろんこれは男性の性犯罪被害にも言えることです。男性の性被害の場合は、「加害者を退治できなかったなんて男らしくない」「男のくせにうじうじ悩んでいる」などと言われるのではないか、「ばかにされるのではないか」という不安によってその経験を相談できず、ずっとひとりで抱え込んでしまうことも少なくありません。これは、「男とはこうあるべき」という社会のなかのジェンダー・ステレオタイプが原因となって、その人自身の傷ついた経験や怒り、支援を求める気持ちを押し殺そうとしてしまうことにほかなりません。シンディ・シャーマンによる「自分を消し去る」という表現は、このように「ある人がその人であること」よりも、「ジェンダー・ステレオタイプ」が優先されることで、黙らせられたり、排除されたりする現実を映しているのです。

その後、彼女の作品は、いくつかのフェミニズム・アートを特徴づける「不快さ」を体現するものへと展開していきます。

例えば「Untitled Film Stills」（１９８６年）の後に作られた「Disaster」シリーズの《Untitled #167》（図４-17、次ページ）では、画面いっぱいにグロテスクさや不快さが満ちていて、シャーマンの姿はほとんど見えなくなっています。「Untitled Film Stills」ではまだ、「不穏」な「予感」でしかなかった光景が悲惨な結末を迎えたかのように、この作品では、

図4-17　シンディ・シャーマン《Untitled #167》1986年

土のなかに埋められたのか打ち捨てられたのか、女性の鼻や口、ブロンドの髪などが少し覗き、指には血痕がついているようにも見えます。

「Disaster」シリーズを経たのち、医療用のカタログで販売されている義体パーツを作品の内部に取り込んでいったシャーマンは、《Sex pictures》のシリーズで、その不快さをさらに「洗練」させます。

「Sex Pictures」シリーズの《Untitled#264》（1992年）（図4-18）では、シャーマンはボンデージ・マスクをかぶり（ほとんど顔は見えないけれど）、頭にはティアラをつけ、首から下は医療用の人体模型を用いて、足を広げて破れたストッキングの間から女性器をこちらに見せつける人物を写し出しています。

こうしたイメージが延々と続くこのシリーズは、見れば途端に生理的な不快感が込み上げてきますが、もちろんそれこそがシャーマンの意図。いわば本作は「ポルノ」を煮詰めて不快さをエスプレッソにしたような作品と言えるでしょう。人間同士のポルノの光景を、医療用の小型人体模型に置き換えることでその異常さが際立っています。

例えば《Untitled#264》における「ボンデージ・マスク」や「女性器の部分だけが破られたストッキング」は、女性の「顔」そして「頭」、いわば知性を覆い隠し性的な身体を強調する装置であり、実際のポルノや、あるいはそうした趣味を持つ人々の間で使われています。

図 4-18　シンディ・シャーマン《Untitled #264》1992年

同シリーズの他の作品も含めて、「人体模型だからっていくらなんでもやりすぎでは……」と思わせるようなイメージばかりなのですが、「ポルノだから」という理由で実際に人間が、多くの場合は女性がこのようなイメージを実演し、それが大量に生産・消費されているのがこの社会の実情です。

実際のポルノであってさえも、人間が被写体になった時にはそれをきれいに、あるいは効果的に見せようとする多少の取り繕いや工夫があるものですが、シャーマンはそうした取り繕いをあえてすべて放棄して、模型によってより生々しい光景を作り上げました。それによって、ポルノのなかで、そして、美術史のなかでも女性に投影されてきた「男性のまなざし」のエスプレッソのようなイメージを作り出して、それが本質的に備えている不快さをはっきりと提示しています。

シンディ・シャーマンは、美術作品としてこのような問題提起を行いましたが、こうした事実を発見し指摘することもフェミニズムの実践なのです。

◉ハワーディナ・ピンデル――フェミニズムの暗部を暴く

ハワーディナ・ピンデル（Howardena Pindell 1943-）の《Free, White, and 21》（１９８０年）（図4-19）は、ピンデル自身が経験した性差別と人種差別を告発する作品です。

この作品のタイトルは、１９２０～１９３０年代頃の映画でよく使われていた「I'm Free, White, and 21」という慣用句の転用です。

この慣用句は、当時、選挙権が認められていたのが21歳以上の白人男性だったことに基づいたものですが、ある時期のハリウッド映画では、特に若い女性がよく口にするセリフでした。ちょっとした論争や、ちょっと危険な予感がする冒険の前などに、周囲の人びとを強引に説得しようとして、「わたしは自由で白人で21歳なんだから！　なんでも自分で決められるのよ！」といったニュアンスで使われることが多かったようです。しかし、ピンデルの作品では、この言葉は全く異なる響き方をします。

ピンデルは、この映像のなかに一人二役で出演します。一人は自分自身、もう一人は、肌を白く塗り、ブロンドのかつらをかぶった白人女性として。

ピンデルはまず、ピンデル自身の姿で、自分の母親が幼少期にベビーシッターから肌の色が「汚い」として、木材などを洗うときに使用する灰汁（強アルカリ性）で腕を洗われたためにやけどが残ったことや、友人から招待されたパーティーでホストの白人女性がすべての出席者に握手をして回るなかで、不自然に自分だけが飛ばされて順番を最後に回されたこと、そのパーティーでは参加者全員から無視されつづけ、パーティーも終わりに差し掛かった時に60代半ばの牧師から「僕はニューヨークにしょっちゅう来るんだ。二人だけで楽しまないかい？」と囁かれたことなど、幼稚園から

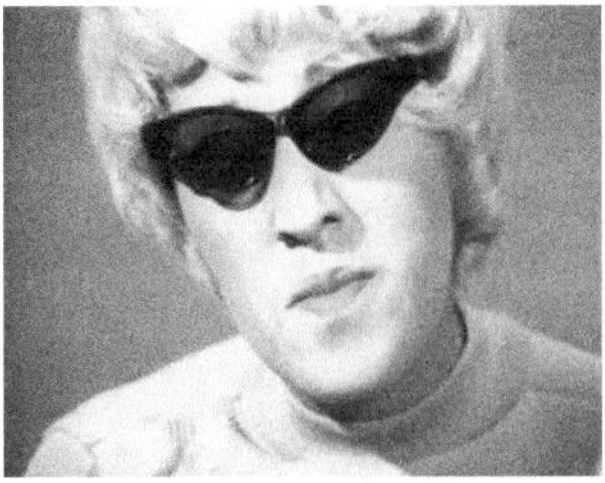

図 4-19　ハワーディナ・ピンデル
《Free, White, and 21》1980年

学校、就職など、さまざまな機会で自分（たち）が黒人であり女性であるという理由で直面した不合理について語っていきます。

このようなピンデル自身の訴えに対して、ピンデル扮する白人女性は、「そんなのあなたの妄想でしょう？　私たちがあなたを認めなければあなたは存在しないのと同じ。私たちの言う通りにしないならば代わりのトークン（お飾り）を見つけるだけ」と冷たく言い放ちます。そして、ビデオは「間違いなくそれはあなたの妄想です。当然だけどそんなの経験したことはありません。だって、私は自由で白人で21歳です！」という白人女性（に扮するピンデル）の言葉で締めくくられます。

ピンデルがこの作品の制作に至ったのは、彼女が実際に、アートワールド内で白人女性のフェミニストから人種差別を受けたからだったと言います。作品によせたコメントのなかで、彼女はこのように話します。

白人女性たちがギャラリーの代表となり、展覧会で紹介され始めた頃、有色人種の女性はほとんど考慮されませんでした。有色人種の女性が抜け落ちていることは、ごく一部の人を除いては、ほとんど気づかれませんでした。私はそれに気づき、それについて話したために、嫉妬していると言われました。人種差別は、すべての有色人種の日常生活において常に襲いかかるものであるのに対し、彼女たち「白人のフェミニスト」にとっての優先順位は高くなかったのです。それらは、彼女たちの関心が向いたときに一時的に関心を持つべきものと見なされていました。発言した有色人種の女性の中には、「好戦的」とみなされた人もいました。（白人）フェミニストたちが、私に対して「〝協力的〟であることを望んでいる」と言ったのを聞いたことも覚えています。白人の声が支配的だったのです。白人男性の声が白人女性の声にとってそうであるように、白人女性の声が有色人種の女性の声にとってそうだったのです。

ピンデルがここで語るのは、いわばフェミニズムの暗部とも言うべき不都合な真実です。実際、ある時代の一部のフェミニズムのなかでは、人種差別や、あるいは障害者差別など、性差別以外の差別事象について優先的な課題として扱わないことがありました。フェミニズムを推進していた一部の女性は、自分たちの利益を確保するために、有色人種の女性の人権を軽視したのです。このように、下位・周縁クラスのなかで、さらなる下位・周縁が生み出されたとき、その不都合を指摘されても、その当時の白人フェミニストたちは自分たちが

「差別者である」「特権的である」と言われることに耐えられず、自身をかえりみることができませんでした。性差別の被害を受けていること、そして、特権を持つ人から虐げられていると主張するとき、その自分たちが別のある種の特権を持っているのを認めることは、運動の「足を引っ張ること」だと考えたからです。

作品内に登場する「トークン」という言葉は、最近では「代用貨幣」や「暗号資産」という意味で使われるなど、さまざまな意味を持っていますが、人権の文脈では「交換可能な人数合わせのマイノリティ」という意味で使われています。下位・周縁グループに位置付けられてきた人を、交換可能なお飾りにして、そうした人たちを包摂しているかのように見せる表向きだけの反差別活動の態度を「トークニズム」と言います。ピンデルが言われた（言った）セリフは、「あなたは人数合わせの『お飾り』黒人フェミニストで、白人女性に物申すようならば必要ない」という、あまりにも冷たい、トークニズムど真ん中の発言でした。

ちなみに、このような下位・周縁クラスのなかでさらに下位・周縁クラスに置かれてしまうような差別の交差を見落とさずに、あらゆる差別への抵抗を目指していくための社会の読み解き方を「インターセクショナリティ」と言います。

ベル・フックスが『フェミニズムはみんなのもの』のなかで「階級的に力をもった女性た

ちが、ご都合主義的にフェミニズムの用語を使いながら、フェミニズムの思想を裏切って、結局は再び女性たちを従属させようとする家父長主義的なシステムの維持に手を貸すとき、彼女たちは、ただフェミニズムを裏切っているだけでなく、自分たち自身を裏切っている」と述べているように、上位・中心クラスと、下位・周縁クラスという階級は、それぞれのクラスの内にも生じています。黒人のなかにもジェンダーの不平等があり、男性のなかにも人種の不平等や、学歴などの格差があり、女性のなかにも出身地や障害の有無などによる差別がある。

「インターセクショナリティ」という視点は、まず、そうしたさまざまな属性の交差という状況に「気がつく」ためのキーワードであり、誰も取り残すことなく、いつの日にか「生まれながらに平等であること」を実現するために、意識しておきたい考え方です。

◉ローリー・アンダーソン――撮る／撮られるの転換

ローリー・アンダーソン（Laurie Anderson 1947-）の《Fully Automated Nikon（Object/Objection/Objectivity)》（１９７３年）（図４‐20、２２１ページ）のシリーズは、彼女に失礼な

声かけをしてきた男性を撮影したものです。

　私は、街で私に声をかけてきた男性を撮影することにしました。プライバシーを侵害されるのを嫌っていた私は今、その復讐の手段を手に入れたのです。フルオートのニコンを持ってヒューストン・ストリートを歩きながら、私は武装し、準備ができていると感じました。

　そのうち「ファックしない？」と声をかけてきた男とすれ違いました。これはお決まりの手口。女性が通り過ぎようとした最後の瞬間に男性が攻撃を仕掛け、もし、あえて女性が反対したいと思ったら、わざわざ引き返さざるを得なくなるというもの。私は激怒して振り向きました。

「なんて言った？」彼は驚いてあたりを見回し、それから反抗的な態度をとりました。

「なんか言ったらなんだって言うんだよ？」私はニコンを構え、狙いを定め、集中し始めた。彼の目はきょろきょろしていて、私を潜入捜査官かなにかだと思ったのでしょう。

パシャ。

こちらは作品に付属しているキャプションで、アンダーソンによる臨場感あふれる記述に撮影のシーンが思い浮かびます。

ちなみに、最近、わたしも、夜道を歩いていて、少し酔っ払った若い男性グループのうちのひとりに声をかけられました。「お姉さん、一緒に運動しませんか!」。声かけの内容はどうだっていいわけですけれど、彼らは集団で、ひとりで歩いているわたしに臆面もなく声をかけてきて、しかもすれ違った後には背後から大笑いする声が聞こえ、わたしに無視されたことまで含めて仲間うちで楽しんでいたようでした。

このような声かけは、人によってその経験の受け取り方が異なる事象かもしれませんが、だいたいの場合は不愉快であり、場所やこちらのコンディション、トラウマの有無によっては身体中にぐっと力が入るような、恐怖の体験でもあります。

こうした「声かけ」の状況下では、声をかけられた

図 4-20　ローリー・アンダーソン
《Fully Automated Nikon (Object/Objection/Objectivity)》1973年

側の人間の尊厳はほぼ失われます。彼らは、アンダーソンやわたしという人間には本当は全く興味や関心がなく、ただ彼や彼らのためのモブキャラのようなものです。サイモン・フジワラの《ジョアン》で示されたような、あるひとりの人物が持つカメレオンのような多面的なあり方などは到底、全く、想像だにしていないでしょう。

　ローリー・アンダーソンのこの作品は、このような不快かつ恐怖の経験を克服するためのもので、彼女は、この作品に「Object/Objection/Objectivity」というサブタイトルをつけています。このような場面では、声をかける側の人物にとって、声をかけられた側は単なるモノ（object）でしかなく、アンダーソンはこうした声かけに異議申し立て（objection）するために相手にカメラを向けて相手を撮影という状況に巻き込み対象物（object）にします。そうした構造を、客観性（objectivity）を伴った記録を作品として発表したのがこの作品なのです。アンダーソンが経験した「無礼な声かけ」も、それに対抗する彼女の「撮影行為」も、対象を「object」にする暴力的な作用を持っていることを改めて感じさせられます。

　このように、本作では、「声かけ」に対抗する装置として、以前よりも操作が容易になったフルオートのNikonのカメラが使われました。カメラも絵画における絵筆のように、長らく「男性のまなざし」を実現するための装置でもありました。つまり、アートにおける

「見る／見られる」は、写真において「撮る―男性／撮られる―女性」という関係性に展開されてきたのです。そのなかでアンダーソンのカメラの使い方は、実際に、無礼にも声をかけてきた目の前の男性だけでなく、撮影者―男性／被撮影者―女性という、写真をめぐる性別に基づいた強制的な役割分担の大きな転換でした。

◉アナ・メンディエタ――むき出しの暴力と「アース・ボディ・アーティスト」

アナ・メンディエタ（Ana Mendieta 1948-1985）は、キューバ系アメリカ人で、土や沼地、砂浜や、森のなかなどに人型のシルエットを残していく「シルエッタ」シリーズ（図４‐21、次ページ）でよく知られるアーティストです。

初期作品である１９７３年の《無題（レイプ現場）》は、メンディエタの自宅で行われたパフォーマンスですが、それを記録した写真が残っています。

鑑賞者として招かれた大学の友人たちは、部屋のなかに点在する血痕や、荒らされた部屋の様子を発見します。そして、家のなかを進んでいくと、あけたままのドアの間から、薄暗がりのなかに、テーブルの上に倒れて両手を縛られ、下着を脱がされ、血だらけになった下

図4-21　アナ・メンディエタ《無題（シルエッタシリーズ）》1998年

半身を露出し、頭から血を流しているメンディエタ自身を発見するという作品です。美術史における最も鮮烈な「ネイキッド」のひとつとも言えるかもしれません。

本作は、学生時代の彼女が、同年代の看護学生がほかの学生にレイプされ殺害された事件に大きな衝撃を受けたことをきっかけに行われたパフォーマンスでした。メンディエタは、マスコミの報道をもとに、事件の翌月に、報じられた通りに事件の光景を演じ、女性に対する暴力をむき出しのかたちで再演したのです。

こうした作品からわかるように、メンディエタは、いわゆるアートらしい絵とか彫刻などは自分の表現にそぐわないと考えていました。

メンディエタはその後も、草むらに血痕をつけて全裸で無防備に横たわる《レイプ・シーン》、ベッドの上に人型の血痕を残した作品《ボディ・プリント》などでレイプを扱っていますが、そのとき、シーツにできた人型のシルエットが、後に彼女の代表作となる「シルエッタ」シリーズに展開されていきます。そして、アナ・メンディエタは自然と直《じか》に接する

「アース・ボディ・アーティスト」を名乗り活動していきます。

文字通り「自然と直に接した」メンディエタは、草むらや沼地などに横たわり、時には自分自身を泥や木々に埋めたりしました。なかには刑事ドラマで見る現場検証のように、自らが横たわった場所に残ったシルエットを指し示すように囲った作品もあり、こうした作品では「彼女がそこにいないこと」が強調されています。

初期の《無題（レイプ現場）》からメンディエタの制作の変遷を見ると、「シルエッタ」シリーズは、レイプされ、そのまま自然のなかに打ち捨てられてしまった人の存在を想起させます。あるいは、文明社会から「自然」（＝周縁）に追いやられてきた女性が暴行を受け、シルエットにされ、消し去られる末路にも感じられます。

ちなみにメンディエタは１９８５年、36歳のときにアパートの34階から転落死しており、当時の夫でありミニマリズムの重要アーティストであるカール・アンドレの関与が疑われています。彼は無罪になったものの、メンディエタがカール・アンドレに殺害されたと考えている人は少なくありません。カール・アンドレはほかにも女性に対する暴行で告発されていて、天才芸術家であるとして彼を擁護する人もいますが、彼の展覧会の折には「Where is Ana Mendieta?（アナ・メンディエタはどこ?）」を合言葉にしてメンディエタを支持する人々による抗議運動が行われています。

◉ルイーズ・ブルジョワ――「蜘蛛」に投影する母と娘の姿

ルイーズ・ブルジョワ（Louise Bourgeois 1911-2010）は、日本では、六本木ヒルズの広場にある大きな蜘蛛《くも》のパブリックアートでよく知られています（図4‐22）。ブルジョワの家はタペストリーの修復を生業《なりわい》としていて裕福な暮らしを送っていました。彼女は、母に勧められ幼い頃から家業を手伝うための絵を描き、その実力を発揮していきました。

他方で、彼女の家には問題もありました。ブルジョワの父親は、伝統的な家族観やジェンダー観に縛られた未熟な男性であり、そのうえ癇癪《かんしやく》持ちで、家族に対してひどく横暴でした。例えば父親は、ブルジョワが女の子として生まれたために、「世継ぎにならない役に立たない存在である」ことについてしばしば暴言を吐いたと言います。そのうえ、父親はブルジョワ（当時11歳）たちのために雇われた家庭教師（18歳）と不倫関係にあり、母親を夫婦の寝室から追い出してその家庭教師を住まわせ、ブルジョワたちきょうだいもそのことに気がついていたと言うのです。彼女は、母になぜ父の横暴を許すのかと問い、「私の母も許していたからだ」と答えられたことを明かしています。

そんな母は、彼女にとって、時に精神的な不安定さをあらわにしつつも、家業のタペストリー工場をマネジメントする頼れる存在でもあり、同時に、絵を描く機会を与えてくれる親友のような存在でもあったと言います。しかし、母はルイーズが21歳のときに他界します。その後、アーティストとなったルイーズ・ブルジョワは、家庭内における過度な性差別や母の姿を反映し、「家」や「母」などを主題とした作品を多く制作しました。

図4-22　ルイーズ・ブルジョワ《Maman》1999年

例えば、「Femme Maison」シリーズ（図4-23、図4-24、次ページ）は、絵画や版画、彫刻などで繰り返し制作されており、ブルジョワの長いキャリアのなかでも象徴的な作品です。

タイトルの通り女性の身体が家と合体してしまっているこの作品は、「家」というものに窒息させられているかのようで、女性が「家」という制度と空間に縛られている家父長制の社会

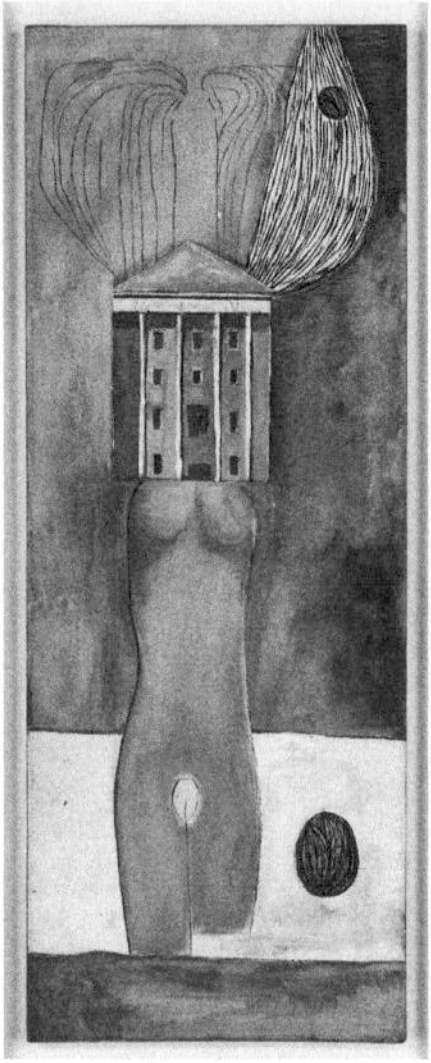

（上）図 4-23　ルイーズ・ブルジョワ
《Femme Maison》
1994年
（下）図 4-24　ルイーズ・ブルジョワ
《Femme Maison》
1946-1947年

をわかりやすく表現しています。

さらに、家によって頭が隠されているのは、女性が自由な意思決定が許されず、その人がどんな顔をし、どんな考え方をするひとりの人間なのかが問われず、まなざすことや自ら考える知性などが家やあるいは家族によって封じられている窮屈な現状を感じさせます。また、女性器の部分だけが色が塗られず白いままになっている絵画作品では、女性器が無防備に強調されることで、女性が男性の欲望に応えることや、生殖という役割を押し付けられ、性的な存在とされてきたことが暗示されているかのようです。

さらに、キャリアの後半になると、ブルジョワは代表作となる巨大な蜘蛛の彫刻を作り始めます。

わたしたちの生活のなかでは、駆除されるべき不快な存在とされている蜘蛛を巨大な彫刻にする彼女の作品は、害虫と思われている存在を巨大なアート作品にして、価値があるものとする点に大きな転換があります。

さらに、ブルジョワはこの蜘蛛のシリーズにある時期から「Maman」という名前をつけました。

彼女は、糸で巣を作り、蚊やほかの虫を食べることで家を守る存在である蜘蛛に、タペストリーを作り、賢く家計を守る母親の姿を重ね、「蜘蛛は母と同じように助けてくれるし、守ってくれる存在」と語っています。

とは言っても、ブルジョワの作り出す蜘蛛の見た目にはやはり不気味さや怖さもあります。

例えば、日本にも蜘蛛と女を掛け合わせた妖怪「絡新婦《じょうろうぐも》」がいます。また、ギリシャ神話では、アラクネーというタペストリー作りに秀でた美しい乙女が登場し、同じく織物を司っていた処女神アテーナーに対して「わたしのほうがタペストリーを上手に作れる」と喧嘩《けんか》を売ったことから蜘蛛女にさせられています。

このように、不快な存在であり、かつ、手芸に秀でた存在であり、時に獲物を罠にかけて蜘蛛の巣で絡めとる＝誘惑する存在であるとして、創作された物語のなかで蜘蛛と女性はたびたび合体させられてきました。当然これもよそ者化の一形態です。ですから、ブルジョワの蜘蛛も、ただ母親／蜘蛛という存在を肯定するだけではないはずです。

つまり「蜘蛛」という存在のあり方と、女性の結びつきを踏まえると、ブルジョワの「Maman」は、母親に捧げるものというだけでなく、幼少期から家庭内で無用とされてきた娘であり、自身も3人の息子の母親でもあるルイーズ・ブルジョワの、排除され、軽視されてきた女性としての経験を投影した自画像とも読み取れます。

このことを知ると、六本木の街に唐突に現れる巨大な蜘蛛の彫刻だけでなく、家のなかで遭遇する蜘蛛を見て不快さを味わったときさえも、ブルジョワが作品に投影したメッセージを思い起こすことになるかもしれません。このようにブルジョワの作品は、「女」や「蜘蛛」に着せられた意味を転換して、「社会化」をほどく力を持っているのです。

現代におけるアートの重要な役割

ここまで、第4章では、フェミニズムをアートで実践した作品を見てきました。

第4章のはじめに述べた通り、視覚的に言えば「映え」よりは「萎え」的なものであったり、美しくなかったり、心地よくなかったり、生理的な嫌悪感を覚えさせるような作品もありました。あるいは、誰の目にも明らかな「上手さ」や「心地よさ」を見出せなかったり、誰かを悪者にしているように感じられたりする作品もあったかもしれません。

また、本書では、紙幅の都合で扱えなかったフェミニズム・アートもたくさんありますが、そのなかにも、美しくない、心地よくない、なんならちょっと不気味で気持ち悪いというようなものが少なくありません。

では、なぜフェミニズム・アートにはこのように不快にすら思えるような作品が多いのでしょうか。

実はフェミニズム・アートに限らず、フェミニズムの名のもとに怒りを表現する叫びや喚きはずっと、「うるさい」とか、「言い方を考えろ」「せめて行儀よく発言しろ」などと、その言い方や振る舞いについて、「不快だ」と批判を受けてきました（このように言い方や振る舞い方を批判することで異議申し立ての声を黙らせようとする方法をトーンポリシングと呼びます）。でも、周りを（というより社会構造の中心・上位にいる抑圧者を）不快にする以前に、そもそも何かを意見することや表現することさえも、制限されてきたのが女という性でした。

だからこそ、フェミニズムでは、抑圧者が「不快に感じる」という理由でずーっと逆に不快な思いをさせられてきた女性たちが中心となって、社会や社会化された個人を不快にするという手を使います。また、「黙ってられるか」「わきまえてやるもんか」と怒りを表明する方法は、フェミニズムだけでなくあらゆる被差別的な属性（人種や民族、性的指向、性自認、障害など）による差別を押し付けられてきた人々による運動の原動力でした。

こうした差別はいま、この瞬間にもどんどん蓄積されているのであり、「いま、ここに社会の不都合や不具合がある！」ということを知ってもらう必要があります。いわば、この叫びや喚きは、救急車のサイレンのようなもの。「叫びや喚き」といった不快な声であることには必然性があるのです。

ですから、フェミニズム・アートの作品は、逆に社会を「不快にすること」を半ば意図して作られていると言っても過言ではありません。

「声をあげる」意図で作られたフェミニズム・アートが不気味であったり不快であったりす

るのは、このように誰かの犠牲によって快適さを確保しているアートワールドを、ひいては社会それ自体を不快にすることによって性差別に光を当てるためなのです。

これは、一般に考えられていたような「美しい」とか「心地よい」といったアートの在り方どころか、その真逆であり、わたしたちを、うっとりいい気分にしてはくれません。でも、これこそが、フェミニズム・アートに限らず、現代においてアートが担っている大きな役割のひとつです。鑑賞者の心に、時に傷を残すほどの攻撃性をもってまで何かを訴えるのが、アートという声のあげ方なのです。

終章

アートとフェミニズムをみんなのものに

ＳＮＳで炎上「美術館女子」

２０２０年に読売新聞社のウェブサイトの企画「美術館女子」が、ＳＮＳで炎上しました。美術館で作品をバックに映《ば》える「美術館女子」というウェブページがＳＮＳ上に拡散されるやいなや、アートワールドの住人、のなかでも特に女性が「待て、待て、待て」と腕まくりをして立ち上がり、ひな壇芸人ばりの総立ち総ツッコミを入れました。

「美術館女子」の企画は、ＡＫＢ48のメンバー（小栗有以さん）が、作品の前でポーズをとる「映え」写真に「わからないけどとにかく感動した」という趣旨のコメントが付随しているものでした。写真のなかでは、ほぼすべてのカットで小栗さんは作品に背を向けて立つことで「作品としての小栗」を体現しており、「鑑賞者として半人前」だけど（だからこそ?）作品と同じ「見せ物」としての役割を演じています。

さて、ここまで読んでこられたみなさんは、この「美術館女子」がどうして炎上したのか、想像がつくのではないでしょうか。

この「○○女子」というのは、「理系女子」「カープ女子」「カメラ女子」とか、「女性が珍しい」と思われるような場面などで使われることも多い言葉です。ときには揶揄のようなニュアンスさえも含む言葉で、女性に対する【らしさ・こうであろう・こうであるべき】という思い込みが前提になっています。

そして、この企画の場合は、その「美術館女子」が体現するのが、「アイドルではなく、〝作品〟としての小栗有以」（読売新聞オンラインより）との言葉に象徴されるように、美術館好きで作品をまなざす主体としての女性ではなくて、なぜか美術館で作品を背景にして撮影されるまなざしの対象としての女性（＝女子）でした。これは、岸本清子が「ネオ・ダダイズム・オルガナイザーズ」のパフォーマンスで木に吊るされ泥を投げられたこと、あるいは、《ロイヤル・アカデミーの会員たち》でアンジェリカ・カウフマンとメアリー・モーザーが絵画として描かれたのと非常によく似た構造です。

また、モデルとなった小栗さんによる、「知識がないとか、そんなことは全然、関係なし。見た瞬間の『わっ!!』っていう感動。それが全てだった」というコメントにも批判が集まりました。

彼女が本当にそのように発言していた可能性もありますが、これは「美術館女子」の名の下に、彼女に無知な観客の役割を負わせている演出にほかなりません。これは、上位・中心クラスと、下位・周縁クラスの区分で言うところの、「上位・男・知性／下位・女・感性」

と言う階級の秩序に合致します。

さらには「私を含め、今若い女性は『インスタ映え』に夢中だ」という記述もあり、確かにそれもそうだとは思いますが、これもまたジェンダーステレオタイプで、2020年当時も、老若男女がインスタには夢中だったはずです（ボリュームゾーンは若者だったとしても）。

この発言に関しても、どこまでが小栗さんの発言で、どこからが企画者の書いたコピーだったかは不明ですが、「若い女性」にのみ、「インスタ映えが大好きな無知な鑑賞者」を担わせるのは、なんだかメムリンクが裸の女性に鏡を持たせて「虚栄」と呼んだあの絵の構造にも似ている気がします。

進まない日本社会のアートへの理解

と言いつつ、わたしはこの「美術館女子」の企画を見たとき、偏ったジェンダー意識に憤りながらも、「美術館女子」に業火を放つアートワールドの側にも非があるように思えて、即座にぶちギレることができませんでした。「美術館女子」は、あらゆる調査で先進国最下位の日本のジェンダーをめぐる状況と、「芸術は爆発だ！」から進まない日本社会のアートへの理解度を如実に反映した結果であり、これが現実なのだなと感じたのです。

第3章のはじめに触れたユニクロの「ブロッサムオブダイバーシティ」のTシャツのシリーズ、そして「美術館女子」の企画に対する批判は、ある意味で、アートとフェミニズムの知識を当たり前の前提に設定していますが、この知識もまたある種の特権です。この知識はフェミニズム的な教育や情報にアクセスできる立場にある、おそらく大卒以上の、アートに触れられるような環境や教養、機会を手にすることができる限られた人だけのもの、つまり、「みんなのものではないもの」です。

わたしはこのような知識を持たない人を「わかってないなあ」と軽視し、「わからないなら黙ってろ」と排除することが実際に起こっていて、断絶を作り出しているように思えてならないのです。

例えば、アートワールドの住人たちが、アートというもののことを理解してもらう努力がずっと、まだまだ足りていないのではないか。アートワールドの外、社会の行方を司る行政や、そこに勤める人びと、そして、政治家や、彼ら彼女らを選ぶ市井の人びとに対して、アートに何ができるのかを伝える努力がこれまで足りなかったのではないか。アートがどんな話し方でメッセージを発しているものなのか、アートを見せられないことの何がそんなに問題なのか、ということが社会に理解されていないのではないか。つまり、エリート主義的で排他的なアートワールドに問題があるのではないか。そして同じことが、アートにおけるフェミニズムにも、そしてフェミニズムにも言えるのではないか……。

おそらく、「美術館女子」の「大好物」である展覧会における「映え」的な要素が２０１０年代後半以降、アートワールドでも重要視されるようになったのは、アートのエリート主義や排他性に対するひとつの打開策でもあったのではないかと思います。

２０１３年のＪＲ展（ワタリウム美術館）やチームラボの各展示、２０１７年のレアンドロ・エルリッヒ展（森美術館）はその代表的な例と言えるでしょう。会場をダイナミックに使った塩田千春展（森美術館）もＳＮＳ上で大いに映えていました。

当の「美術館女子」のウェブサイトでは、作品を含む美術館のあらゆるもの・場所が「映えスポット」として扱われているので、作品を映えスポットや書き割りのように使う乱暴な態度にも多くの批判が集まりましたが、実際、「映え」からの「バズり」戦略によって多くの観客が来場しているし、それまでアートに興味がなかった人が、「映えスポット」としての美術館に新たに興味を持ったことは確かです。展覧会を見に行った時に、作品を映えスポットにして撮影し合う人の姿は見慣れたものとなりました。

つまりこの企画の前から、実際「美術館女子」のように、美術館を「映えスポット」として扱う観客は大勢存在していて、もはや無視できない観客の層を成しています。

でも、この企画が示したように、フェミニズム的な批判に先回りし、配慮することができるほどには、アートにおけるフェミニズムの視点が普及してはいないのが現状です。

アートが社会的に「映えスポット」として扱われているのは事実であり、「映えスポット」的ではないアートの面白さや力強さをアートワールドは十分に伝えられていないし、そのうえアートワールドのなかにも問題が山積みです。それを解きほぐす視点としてのフェミニズムも、残念ながらいまはまだ限られた人たちだけのものでしかないのです。

アートとフェミニズムは誰のもの？

「はじめに」で述べたように、アートとフェミニズムには逆風が吹いています。

アートの場合、特に日本は「政治的」とされる作品をどんどん許容できなくなっていて、作品が発表できなくなったり、内容の改変を迫られたりするような事例が相次いでいます。

例えば、東京都現代美術館「ここは誰の場所？・」展（２０１５年）での「会田家」の作品撤去問題、同じく東京都現代美術館「MOTアニュアル２０１６キセイノセイキ」展で小泉明郎《空気》（２０１６年）の出品が不可とされたこと、「あいちトリエンナーレ２０１９」内の企画展「表現の不自由展・その後」をめぐる一連の問題。そして、東京都人権プラザで開催された企画展「飯山由貴『あなたの本当の家を探しにいく』」の附帯事業（関連イベント）として計画された美術家・飯山由貴の映像作品《In-Mates》（２０２１年）の上映が不可とされた問題には、わたし自身、企画担当として関わり、アート作品が展示できないケースに当事者として直面しました。

基本的に、こうした事例が起これば、アートワールドは由々しき事態として深刻に受け止め、アーティストに作品の改変を迫った組織や展示を不可とする判断を批判する声をあげてきました。

ですが、大声をはりあげていたつもりでも、実はそれがたこつぼの中で反響し、アートワールドの外にはあまり届いていかなかったり、こうした事例を「由々しき事態」としてとらえる感覚が広く一般に共有されているとは言いがたいのが実情です。

他方では、一部のお金持ちによって異常に価格が吊り上げられている現代の「宮廷画家」のようなアーティストによる、批評（読み）を受け付けないような表層的な作品が、現代の最も重要な作品であるかのように扱われはじめてもいます。

また、アートワールド内で権威を持つ人によるハラスメントがたびたび問題になってもいて、（これが明らかになるようになっただけ、ある意味では昔より風通しがよくなった証拠でもありますが、それでも）この業界の自浄作用が機能不全に陥っていることは誰の目にも明らかです。

アートワールドの外に目を向ければ、日本は世界経済フォーラムが発表する男女格差（ジェンダー・ギャップ）指数のランキングでは、他国にどんどん追い越され、過去最低ランクを年々更新中です（２０２３年６月発表のランキングでは１４６カ国中１２５位でした）。また、女性に対して、従来通りの社会構造を反映した性差別にとどまらない激しい「女性敵視」のような考え方も見られますし、「フェミサイド」と言われる、ジェンダーを理由にした殺人や傷害事件が実際に起こっています。女性運動や女性保護団体や活動家への迫害もあります。他方でこうした事件は、「男性すべて」を憎悪し、あらゆる男性を「男性である」という理由で敵視する意識を高め、ジェンダー間の分断を生み出してもいます。フェミニズムの名の下に「女性だけの権利」を主張し、トランスジェンダーをはじめとするほかのマイノリティを迫害するなど、フックスが述べたような反差別の理念に反するとても差別的な「フェミニズム」も横行しています。

さて、ここで改めて考えてみたいのが、「アートとフェミニズムは誰のもの?」という問いです。

「みんなのもの!」と答えたいところではありますが、実態としては、存続の危機さえ感じさせる状況になっています。

では、どうすれば、アートとフェミニズムを、いまよりちょっとましなかたちで存続させていけるのでしょうか。

例えば、本書で紹介してきたアーティストやフェミニストたちのように、声をあげるという方法があります。声をあげ、異議を申し立て、権利を拡充しながら仲間を増やすのです。こうした営みによって、いまのわたしたちの暮らしと楽しみがあるのは繰り返し述べてきた通りですが、でも、誰もが突然に声をあげられるようになるというわけではありません。

ここで再びベル・フックスを参照しましょう。

> 外なる敵と対決する前に、わたしたちは内なる敵を変えなくてはならない。脅威なのは、そして敵なのは、性差別的な考え方であり行動なのだ。女性たちが、自分自身の性差別を問題にしそれを変えることなしにフェミニズムの旗を振りつづけるなら、フェミニズム運動は結局だめになってしまうだろう。

この一節は、「女性たち」を、「アートワールドの住人」に変え、「フェミニズム（運動）」の部分を「アート」に変えても読むことができますし、「性差別」ではなく、「あらゆる差別」に置き換えて読むこともできるでしょう。

その場合、「外なる敵」には、例えば、性差別的な思い込みから女性やほかのマイノリティのあらゆる可能性を奪おうとしてくる人たちだけでなく、無知であったり無理解であったりするがゆえに表現を規制しようとしたりする人も、そして恐れや誤解から差別を内面化している人も含むことができます。いまは、そういった人たちがこの社会のなかでさまざまな「決定権」を持っているわけですから、この社会においてアートとフェミニズムがいまよりましなかたちで受け入れられていくには、彼ら彼女らと、いつか対峙しなければならないでしょう。

「でも、その前に」、とフックスは言うのです。「わたしたちは内なる敵を変えなくてはならない」と。

誤解していたり無知であったりする人たちに対して、われわれだけが本当のことをわかっている、わからないやつは黙っていろ、そして、わかっている「界隈」で手を取り合っていけばよい……と無反省に開き直っている状態では、アートもフェミニズムも存続し得ないのです。アートとフェミニズムをだめにしないためには、これを「みんなのもの」にしてこなかったことを問題とし、「みんなのもの」にする必要があります。だからこそ、アートとフェミニズムは誰のものなのか、問い続けていかなくてはなりません。

そして、たこつぼ化したアートとフェミニズムが、これからも存続していくためには、出会ってこなかった人の声を聞くことも大切です。社会と関係する必要があります。「中」だけにいるのではなく、「外」から自分のいる場所の姿を確認する必要だってあるでしょう。

　アートワールドにおいても、社会生活においても、そこにうごめくひとりひとりの態度や、ひとつひとつの価値判断と意思決定の積み重ねによって男性至上主義というとても強い癖が作られてきたのであれば、ひとりひとりの、ひとつひとつの選択が、大きな変革を作り出すこと

だってできるはずです。

批判的に考える勇気／差別的な構造を温存する読み方をしない

本書では、第1章と第2章で、たこつぼ化したアートとフェミニズムのなかを案内し、そして第3章では、アートの問題点をフェミニズムの力を借りて点検し、第4章では、アートを使ってフェミニズムをより広く、多くの人に届くように発信している例をご紹介しました。

なお、本書は、あくまでアートとフェミニズムの非常に限定的かつ初歩の初歩的なトピックを扱った入門書です。ですから、扱えなかった重要作品、事例、人物、理論、視点、テキストなども多くあります。そして、わたしよりも、このテーマに精通している方もたくさんいますし、同時代の国内外のフェミニズム・アートからも大きな刺激をいただきました。先達たちのご著書やご発言、作品からさまざまな影響を受けています。本書を読んで、アートとフェミニズムに興味を持たれた方はぜひ、そうした方々の書籍を手にとり、美術館やギャラリーで実際に作品を見ることを強くおすすめします。本書がそのきっかけになることが何よりの喜びです。

フェミニズムを使ってアートを読み解くことは、平たく言えば、批判的に考える勇気を持つことであり、逆にぎゅっと煮詰めれば、あらゆる対象について、差別的な構造を温存する読み方をしない、ということになるでしょう。

この勇気、あるいは読み解き方を持っている人が、あらゆる場所に足りていません。新聞社や衣料品店からの発信にそれがあらわれているように、報道機関、小売店、コンビニにも、本屋にも、テレビ局、YouTube、Podcast、家庭、学校、教育や保育や医療や介護の場にも、料理や研究や接客にも、官公庁にも、議会にも、社会運動にも、とにかくどこにでも、足りていないのです。

「アートとフェミニズムは誰のもの？」という問いから、この勇気や読み解き方が、みんなに広がっていくことを願っています。

あとがき

書くことの楽しさと厳しさ、そしてアートの奥深さと窮屈さを教えてくれた伊藤亜紗先生に感謝しています。公益財団法人東京都人権啓発センター普及啓発課のみなさん、伊藤研のみなさん、アーティストの飯山由貴さん、アドバイスをくれた弁護士でアートコレクターの小松隼也さん、いつも応援してくれる友人や家族にも感謝しています。本書のきっかけをくれ、構想をともに練ってくださった編集者の田頭晃さん、そして本書を完成まで導いてくださった光文社の小松現さん、編集にご協力いただいた森遥香さん、本当にありがとうございました。

２０２３年７月

村上由鶴

◉ハワーディナ・ピンデル

Howardena Pindell, Naomi Beckwith and Valerie Cassel Oliver edited, ‘On Making a Video: Free, White and 21’, “What Remains To Be Seen”, Prestel, 2018

◉ローリー・アンダーソン

ヘレナ・レキット編、ペギー・フェラン概説、鈴木奈々訳『アート&フェミニズム』ファイドン、2005年

◉アナ・メンディエタ

渡部葉子『スタンディング・ポイントⅡ「アナ・メンディエタ」展』慶應義塾大学アート・センター、2019年

◉ルイーズ・ブルジョワ

天野太郎「父親をバラバラにした彫刻家ルイーズ・ブルジョワ」『芸術新潮1998年1月号』、新潮社

Artsper Magzine, Study of a Masterpiece: “Mother” by Louise Bourgeois, A closer look, 16 May 2018, https://blog.artsper.com/en/a-closer-look/3826/（2023年7月10日最終アクセス）

横浜美術館学芸部編『ルイーズ・ブルジョワ展』横浜美術館、1997年

【終章】

ベル・フックス、堀田碧訳『フェミニズムはみんなのもの――情熱の政治学』エトセトラブックス、2020年

◉マイク・ケリー

『美術手帖 1997年2月号：特集 マイク・ケリーとLAアートシーン』美術出版社、1997年

椹木野衣「河童とぬいぐるみ」『美術手帖 1995年1月号：VERY NEW ART』美術出版社、1995年

松井みどり『アート：“芸術”が終わった後の“アート”（カルチャー・スタディーズ）』朝日出版社、2002年

◉レイチェル・ホワイトリード

大住遥訳「レイチェル・ホワイトリード 見えないものへ」『美術手帖 1994年5月号：特集 ロンドンの逆襲』美術出版社、1994年

Cristina Ruiz, *The master caster Rachel Whiteread, The gentlewoman Issue16,* Fantastic Woman, 2017

マイケル・フリード 川田都樹子・藤枝晃雄訳「芸術と客体性」『批評空間（第2期臨時増刊号）モダニズムのハード・コア——現代美術批評の地平』太田出版、1995年

田嶋陽子『愛という名の支配』新潮文庫、2019年

◉サイモン・フジワラ

かないみきインタビュー・構成「サイモン・フジワラ　メディアに定義される女性の「イメージ」の複雑さに切り込む」『美術手帖 2017年11月号：GENDER IS OVER!?』美術出版社、2017年

◉シンディ・シャーマン

『美術手帖 1996年10月号：特集 シンディ・シャーマン』美術出版社、1996年

Paul Moorhouse, Cindy Sherman, National Portrait Gallery Publications, 2019

Rachel Wetzler, ‘I’m trying to erase myself, an interview with Cindy Sherman’, “APOLLO June 2019”, Apollo Magazine, 2019

◉鷹野隆大
国立国際美術館編集『鷹野隆大 毎日写真 1999-2021』国立国際美術館、朝日新聞社、2021 年

◉バークリー・L・ヘンドリクス
Anna Arabindan-Kesson, ‘Performing the Self in Family Jules’, in Family Jules: NNN（No Naked Niggahs）1974 by Barkley L. Hendricks, Tate Research Publication, 2017, https://www.tate.org.uk/research/in-focus/family-jules/performing-the-self（2023 年 5 月 20 日最終アクセス）

◉シェリー・レヴィン
Howard Singerman edited, *Sherrie Levine (October Files 23),* MIT Press, 2018
Hélène Trespeuch, ‘The feminism of Sherrie Levine through the prism of the supposed“death of the author” — AWARE Archives of Women Artists, Research and Exhibitions, 2017, https://awarewomenartists.com/en/magazine/feminisme-de-sherrie-levine-prisme-de-pretendue-mort-de-lauteur/（2023 年 5 月 20 日最終アクセス）

◉バーバラ・クルーガー
ヘレナ・レキット編、ペギー・フェラン概説、鈴木奈々訳『アート & フェミニズム』ファイドン、2005 年

◉長島有里枝
村上由鶴インタビュー・文、「長島有里枝 フェミニズムの視点からその先へ」、『IMA Vol.36「流動するジェンダーの時代」』、アマナ、2021 年
長島有里枝『「僕ら」の「女の子写真」から　わたしたちのガーリーフォトへ』大福書林、2020 年

ケネス・クラーク、高階秀爾・佐々木英也訳『ザ・ヌード』筑摩書房、2004 年
ジョン・バージャー、伊藤俊治訳『イメージ――視覚とメディア』筑摩書房、2013 年
ローラ・マルヴィ、斉藤綾子訳「視覚的快楽と物語映画」『イマーゴ 1992 年 11 月号』青土社、1992 年
グリゼルダ・ポロック、ロジカ・パーカー、萩原弘子訳『女・アート・イデオロギー――フェミニストが読みなおす芸術表現の歴史』新水社、1992 年
グリゼルダ・ポロック、萩原弘子訳『視線と差異――フェミニズムで読む美術史』新水社、1998 年
キャロリン・コースマイヤー、長野順子・石田美紀・伊藤政志訳『美学――ジェンダーの視点から』三元社、2009 年
『美術手帖 1979 年 11 月号：特集 イヴ・クライン ― 非物質のリアリスト』美術出版社、1979 年
石崎尚「1960 年代までの岸本清子」愛知県美術館研究紀要 28 号、2021 年 1 月

【第 4 章】
◉ゲリラ・ガールズ
北原恵『アート・アクティヴィズム』インパクト出版会、1999 年

◉マリー・バシュキルツェフ
神林恒道・仲間裕子編著『美術史をつくった女性たち――モダニズムの歩みのなかで』勁草書房、2003 年
マリ・バシュキルツェフ、野上豊一郎訳『マリ・バシュキルツェフの日記（上巻、中巻、下巻）』学陽書房、1948 年
今橋映子『異都憧憬 日本人のパリ』平凡社ライブラリー、2001 年
宮本百合子『宮本百合子選集 第 10 巻』新日本出版社、1969 年

ス。シリーズ：ジェンダーフリーは可能か？ (1)」ウェブ版美術手帖、2019年6月5日
ベル・フックス、堀田碧訳『フェミニズムはみんなのもの――情熱の政治学』エトセトラブックス、2020年
荒井裕樹『障害者差別を問いなおす』筑摩書房、2020年
中嶋泉＝聞き手、田村かのこ訳・構成「グリゼルダ・ポロック インタビュー 美術史におけるフェミニスト的介入という思考実践はなぜ必要なのか？」『美術手帖2021年8月号：特集 女性たちの美術史』美術出版社、2021年
ベル・フックス、杉山直子訳『アート・オン・マイ・マインド――アフリカ系アメリカ人芸術における人種・ジェンダー・階級』三元社、2012年
リンダ・ノックリン、松岡和子訳「なぜ女性の大芸術家は現われないのか？」『美術手帖1976年5月号』美術出版社、1976年

【第3章】
野町二『神話の世界』研究社出版、1959年
高津春繁『ギリシア・ローマ神話辞典』岩波書店、1960年
松村一男『女神誕生――処女母神の神話学』講談社、2022年
江馬務『日本妖怪変化史』中央公論新社、2004年
若桑みどり『イメージの歴史』筑摩書房、2012年
スティーヴン・J・グールド、鈴木善次・森脇靖子訳『人間の測りまちがい――差別の科学史』河出書房新社、1998年
アリストテレス、山本光雄訳『政治学』岩波書店、1961年
グザヴィエル・ゴーチエ、三好郁朗訳『シュルレアリスムと性』平凡社、2005年
Stephen F. Eisenman, *Gauguin's Skirt*, Thames and Hudson, 1997
北原恵編著『アジアの女性身体はいかに描かれたか――視覚表象と戦争の記憶』青弓社、2013年

主要参考文献

【第1章】

クレメント・グリーンバーグ、川田都樹子・藤枝晃雄訳「モダニズムの絵画」、『批評空間 第2期臨時増刊号 モダニズムのハード・コア』太田出版、1995年

美術手帖編集部『現代アート事典』美術出版社、2009年

イヴ=アラン・ボワ／ロザリンド・クラウス著、加治屋健司／近藤學／高桑和巳訳『アンフォルム——無形なものの辞典』月曜社、2011年

Harold Rosenberg, *The American Action Painters, Reading Abstract Expressionism*, Yale University Press 1991

ハロルド・ローゼンバーグ、平野幸仁、度会好一訳『行為と行為者』晶文選書、1973年

アーサー・C・ダントー、山田忠彰監修、河合大介・原友昭・粂和沙訳『芸術の終焉のあと——現代芸術と歴史の境界』三元社、2017年

Arthur Danto, *The Art World*, 1964（アーサー・ダントー、西村清和訳「アートワールド」『分析美学基本論文集』、勁草書房、2015年）

【第2章】

イネス・ジャネット・エンゲルマン、杉山 悦子訳『ジャクソン・ポロックとリー・クラズナー』岩波書店、2009年

Anne Middleton Wagner, *Three Artists (Three Women): Modernism and the Art of Hesse, Krasner, and O'Keeffe*, Berkeley: University of California Press, 1996

Jeffery potter, *To a violent grave: an oral biography of Jackson Pollock*, G. P. PUTNAM'S SONS, 1985

竹田恵子「統計データから見る日本美術界のジェンダーアンバラン

本書は、サントリー文化財団２０２２年度若手研究者による社会と文化に関する個人研究助成（鳥井フェローシップ）の成果である。

Photo : Christopher Burke © The Easton Foundation / Licensed by VAGA at Artists Rights Society (ARS), NY

図 4-24 ルイーズ・ブルジョワ《Femme Maison》1946-47 年
Louise Bourgeois
Femme Maison, 1946-1947
Oil and ink on linen
91.4 × 35.6 cm.
Private Collection, New York
Photo : Christopher Burke

Untitled #264, 1992
chromogenic color print
127 × 190.5 cm
The Broad Art Foundation
© Cindy Sherman
Courtesy the artist and Hauser & Wirth
図 4-19　ハワーディナ・ピンデル《Free, White and 21》1980 年
Howardena Pindell
Free, White and 21, 1980
Courtesy of the artist and Garth Greenan Gallery, New York.
図 4-20　ローリー・アンダーソン《Fully Automated Nikon (Object / Objection / Objectivity)》1973 年
Laurie Anderson
Fully Automated Nikon (Object, Objection, Objectivity) Man with a Cigarette
1973
© Canal Street Communications, Inc.
図 4-21　アナ・メンディエタ《無題（シルエッタシリーズ）》1998 年
Ana Mendieta (1948-1985), *Untitled (Silueta Series)*. August 1978. Gelatin silver print. image : 17.1 × 24.8 cm ; sheet: 20.3 × 25.2 cm. The Solomon R. Guggenheim Museum, New York. Purchased with funds contributed by the Photography Committee, 1998 © ARS, NY
図 4-22　ルイーズ・ブルジョワ《Maman》1999 年
View of Louise Bourgeois's *Maman* (1999) at the Mori Art Museum, Tokyo, 2004.
Photo : Keizo Kioku, © The Easton Foundation / Licensed by VAGA at Artists Rights Society (ARS), NY
図 4-23　ルイーズ・ブルジョワ《Femme Maison》1994 年
Louise Bourgeois
Femme Maison, 1994
White marble
12.1 × 24.4 × 7.6 cm.
Private Collection, New York

Photo: © Tate
図 4-14　レイチェル・ホワイトリード《Untitled (Sixteen Spaces)》
1995 年
Rachel Whiteread
Untitled (Sixteen Spaces), 1995
Resin
16 units of varying dimensions
© Rachel Whiteread; Courtesy of the artist, Luhring Augustine, New York, Galleria Lorcan O'Neill, Rome, and Gagosian Gallery.（original image is in color）
図 4-15　サイモン・フジワラ《ジョアン》2016 年
Simon Fujiwara, *Joanne*, 2016
© Simon Fujiwara Courtesy of TARO NASU
Collection of Ishikawa Foundation, Okayama
Photo : Yasushi Ichikawa
図 4-16　シンディ・シャーマン「Untitled Film Stills」シリーズ
Cindy Sherman
Untitled Film Stills #21, 1978
Gelatin silver print
18.7 × 23.9 cm
The Metropolitan Museum of Art
© Cindy Sherman
Courtesy the artist and Hauser & Wirth
図 4-17　シンディ・シャーマン《Untitled #167》1986 年
Cindy Sherman
Untitled #167, 1986
chromogenic color print
152.4 × 228.6 cm
The Broad Art Foundation
© Cindy Sherman
Courtesy the artist and Hauser & Wirth
図 4-18　シンディ・シャーマン《Untitled #264》1992 年
Cindy Sherman

1989年
Barbara Kruger
Untitled (Your body is a battleground), 1989
Photographic silkscreen on vinyl
284.5 × 284.5 cm
Courtesy the artist, The Broad Art Foundation and Sprüth Magers
図4-9　長島有里枝《Self-Portrait (Brother #34)》1993年
ゼラチン・シルバー・プリント
© Yurie Nagashima / Courtesy of MAHO KUBOTA GALLERY
図4-10　マイク・ケリー《Ahh...Youth!》1991年
Mike Kelly (1954-2012) *Ahh...Youth!.* 1991. Silver dye bleach prints. Sheet : 60 × 41 cm each Framed: 66.4 × 47.6 × 1.9 cm each. The Metropolitan Museum of Art, New York. Gift of Helena and Per Skarstedt, in celebration of the Museum's 150th Anniversary, 2019 (2019.584a-h) © VAGA at ARS, NY Image copyright © The Metropolitan Museum of Art. Image source: Art Resource, NY.
© 2023 Mike Kelley / ARS, New York / JASPAR, Tokyo G3235
図4-11　ジェフ・クーンズ《マイケル・ジャクソンとバブルス》1988年
Jeff Koons, *Micheal Jackson and Bubbles,* 1988, porcelain, 106.7 × 179.1 × 82.6cm © Jeff Koons
図4-12　レイチェル・ホワイトリード　《無題（家）》1993年
Rachel Whiteread
Untitled (House), 1993
Concrete, wood and steel
(Destroyed on January 11, 1994)
Commissioned by Artangel
Sponsored by Beck's
© Rachel Whiteread; Courtesy of the artist, Luhring Augustine, New York, Galleria Lorcan O'Neill, Rome, and Gagosian Gallery.
Photo : Sue Ormerod.（original image is in color）
図4-13　ロバート・モリス《Untitled》1965年
Untitled, 1965, reconstructed 1971, Robert Morris. Tate, Purchased 1972. © 2023 Robert Morris / ARS, NY / JASPAR, Tokyo G3235.

ステル／壁紙、H95 × W270cm、H90 × W271cm、H94 × W271cm、H95 × W272cm　画像提供：金沢 21 世紀美術館

【第 4 章】

図 4-1　ゲリラ・ガールズ《女は裸にならないとメトロポリタン美術館に入れないの？》1989 年

Guerrilla Girls (est. 1985) *Do Women Have To Be Naked To Get Into the Met. Museum?* 1989. Lithograph, 27.9 × 71.1 cm.

The Metropolitan Museum of Art, New York. Gift of Scott, Lauren and Lily Nussbaum, 2021 (2021.70)　© Guerrilla Girls, courtesy guerrillagirls.com Image copyright © The Metropolitan Museum of Art. Image source : Art Resource, NY

図 4-2　マリー・バシュキルツェフ《自画像》1880 年

図 4-3　マリー・バシュキルツェフ《会議》1884 年

図 4-4　鷹野隆大《Kikuo (1999.09.17.Lbw.#11)》「ヨコたわるラフ」シリーズより　1999 年　国立国際美術館

© Ryudai Takano, Courtesy of Yumiko Chiba Associates

図 4-5　バークリー・L・ヘンドリクス《Family Jules: NNN (No Naked Niggahs)》1974 年

図 4-6　シェリー・レヴィン《ウォーカー・エヴァンスにならって》1981 年

Sherrie Levine (American, born 1947), *After Walker Evans : 4,* 1981, Gelatin silver print, 12.8 × 9.8 cm : The Metropolitan Museum of Art, New York, Gift of the artist, 1995 (1995.266.4)　© The Metropolitan Museum of Art. Image source: Art Resource, NY

図 4-7　ウォーカー・エヴァンス《アラバマ州の綿花栽培の妻》1936 年

Walker Evans (American, St. Louis, Missouri 1903–1975 New Haven, Connecticut), *Alabama Tenant Farmer Wife (Allie Mae Burroughs),* 1936, Gelatin silver print, 20.9 × 14.4 cm : The Metropolitan Museum of Art, New York, Purchase, 2000 Benefit Fund, 2001 (2001.415)　© Walker Evans Archive, The Metropolitan Museum of Art. Image source: Art Resource, NY

図 4-8　バーバラ・クルーガー《Untitled (Your body is a battleground)》

図 3-2　ハーバート・ジェームズ・ドレイパー《ユリシーズとセイレーンたち》 1909 年
図 3-3　北斎季親《ろくろ首》江戸時代
画像提供：国際日本文化研究センター
図 3-4　落合芳幾《雨女》1890 年
画像提供：国際日本文化研究センター
図 3-5　フーゴー・ファン・デル・グース《原罪》1470 年頃
図 3-6　ルネ・マグリット《陵辱》1934 年
© ADAGP, Paris & JASPAR, Tokyo, 2023 G3235
画像提供：Artothek / アフロ
図 3-7　ポール・ゴーギャン《アイタ・パラリ・テ・タマリ・ヴァヒネ・ジュディット》1893 年
図 3-8　土田麦僊《島の女》（右隻・左隻） 1912 年　東京国立近代美術館所蔵　Photo : MOMAT / DNPartcom
図 3-9　ポール・ゴーギャン《我々はどこから来たのか 我々は何者か 我々はどこへ行くのか》1897-98 年
図 3-10　李仁星《秋の或る日》1934 年
図 3-11　マルセル・デュシャン《階段を降りる裸体 NO. 2》1912 年
© Association Marcel Duchamp / ADAGP, Paris & JASPAR, Tokyo, 2023 G3235
画像提供：Super Stock / アフロ
図 3-12　エドワード・マイブリッジ《階段を降りる女性》1887 年
Eadweard Muybridge / 特派員 / Getty Images
図 3-13　エドゥアール・マネ《草上の昼食》1863 年
図 3-14　アレクサンドル・カバネル《ヴィーナスの誕生》1863 年
図 3-15　エドゥアール・マネ《オランピア》1863 年
図 3-16　ティツィアーノ《ウルビーノのヴィーナス》1538 年
図 3-17　ハンス・メムリンク《虚栄》1485 年頃
図 3-18　ヨハン・ゾファニー《ロイヤル・アカデミーの会員たち》1772 年
図 3-19　イヴ・クライン「人体測定シリーズ」1960 年
図 3-20　クラインのもとで「生きた絵筆」として働いたモデルたち
図 3-21　岸本清子《ホワイトマウンテンゴリラ》1981 年　アクリル、パ

図版一覧・作品クレジット

【第1章】
図1-1　バナナアート　制作：村上由鶴
図1-2　ドナルド・ジャッド《Untitled》1977年
©2023 Judd Foundation / JASPAR, Tokyo G3235
画像提供：Artothek / アフロ
図1-3　ルーチョ・フォンタナ《Concetto Spaziale, Attese. 1966》1966年
©Lucio Fontana by SIAE 2023 G3235
画像提供：Artothek / アフロ
図1-4　リチャード・セラ《The Matter of Time》1994-2005年
画像提供：Alamy / アフロ
図1-5　ヴォルフガング・ティルマンス《paper drop（window）》2006年
画像提供：Artothek / アフロ
図1-6　レオナルド・ダ・ヴィンチ《サルヴァトール・ムンディ》
推定1499-1510年
図1-7　ジャクソン・ポロック《One：Number 31, 1950》1950年
画像提供：akg-images / アフロ
図1-8　アンディ・ウォーホル《ブリロ・ボックス》1964年
©2023 The Andy Warhol Foundation for the Visual Arts, Inc. / Licenced by ARS, New York & JASPAR, Tokyo G3235
画像提供：akg-images / アフロ

【第2章】
図2-1　リー・クラズナー《The Eye is the First Circle》1960年
©2023 Lee Krasner / ARS, New York / JASPAR, Tokyo G3235
Tristan Fewings / 特派員 / Getty Images Europe
図2-2　小林耕平《殺・人・兵・器／左右の仲を裂く・前後の中を取り持つ兵器》2012年　ミクストメディア　©Kohei Kobayashi

【第3章】
図3-1　ポール・ギュスターヴ・ドレ《ハーピース》1861年　ダンテ『神曲 地獄篇』（河出文庫）より

本文イラスト　村上由鶴
本文デザイン　板倉　洋
編集協力　森　遥香

村上由鶴（むらかみゆづ）
1991年、埼玉県出身。日本大学藝術学部写真学科助手を経て東京工業大学環境・社会理工学院 社会・人間科学コース博士後期課程在籍。日本写真芸術専門学校非常勤講師。公益財団法人東京都人権啓発センター非常勤専門員。共著に『クリティカル・ワード ファッションスタディーズ』（フィルムアート社）。POPEYE Web「おとといまでのわたしのための写真論」、The Fashion Post「きょうのイメージ文化論」、幻冬舎plus「現代アートは本当にわからないのか？」を連載中。写真やアート、ファッションイメージに関する執筆や展覧会の企画を行う。専門は写真の美学。

アートとフェミニズムは誰《だれ》のもの？

2023年8月30日初版1刷発行

著　者 —— 村上由鶴
発行者 —— 三宅貴久
装　幀 —— アラン・チャン
印刷所 —— 堀内印刷
製本所 —— 国宝社
発行所 —— 株式会社 光文社
東京都文京区音羽1-16-6（〒112-8011）
https://www.kobunsha.com/
電　話 —— 編集部03（5395）8289 書籍販売部03（5395）8116
業務部03（5395）8125
メール —— sinsyo@kobunsha.com

 ISBN 978-4-334-10014-8

1267
ChatGPTの全貌
何がすごくて、何が危険なのか？

岡嶋裕史

ChatGPTと上手に付き合う方法を学び、その能力を最大限引き出すには？　基礎知識からクリエイティビティ、今後の進化、人類の未来への影響までわかりやすく解説。

978-4-334-10013-1

1268
アートとフェミニズムは誰のもの？

村上由鶴

「みんなのもの」になろうとするエネルギーを持っているアートとフェミニズム。両者に対する理解の断絶が進んでいる現在の状況に風穴を開けるには？　美学研究者による新しい試み。

978-4-334-10014-8

1269
不自由な社会で自由に生きる
「自由論」講義録

ウスビ・サコ編

社会は自由なように見えて、昔も今も違う形で不自由だ。宗教、表現、芸術、性、公共、そして私自身――。私たちを縛るものを知り、自由をつかみとるための8つのレッスン。

978-4-334-10015-5

1270
まんが 押川先生、「抗がん剤は危ない」って本当ですか？

押川勝太郎
おちゃずけ

怖いのは、闘う相手の正体を知らないから――治療の不安、医師との関係、お金、患者会、食事、周囲の人の心得など様々な疑問に、YouTubeで活躍の腫瘍内科医がまんがで答えます。

978-4-334-10016-2

1271
結婚しても一人
自分の人生を生ききる

下重暁子

しょせん、夫婦は他人――。大事なことは「求めない」「期待しない」etc. 夫婦がストレスなく暮らしていくためのヒントとは。50年続いた結婚生活と87年の人生を振り返りながら綴る。

978-4-334-10017-9